Y Ferch a'r Norda

Y Ferch ar y Ffordd

LLEUCU
ROBERTS

y Lolfa

Diolch i Alun Jones
am ei gyngor a'i amynedd di-ben-draw

Argraffiad cyntaf: 2009
℗ Hawlfraint Lleucu Roberts a'r Lolfa Cyf., 2009

Mae hawlfraint ar gynnwys y llyfr hwn ac mae'n anghyfreithlon
i lungopïo neu atgynhyrchu unrhyw ran ohono trwy unrhyw
ddull ac at unrhyw bwrpas (ar wahân i adolygu) heb gytundeb
ysgrifenedig y cyhoeddwyr ymlaen llaw

Dymuna'r cyhoeddwyr gydnabod cymorth ariannol
Cyngor Llyfrau Cymru

Llun y clawr: Chris Cope
Cynllun y clawr: Y Lolfa

Rhif Llyfr Rhyngwladol: 9781847711397

Cyhoeddwyd ac argraffwyd yng Nghymru
gan Y Lolfa Cyf., Talybont, Ceredigion SY24 5HE
gwefan www.ylolfa.com
e-bost ylolfa@ylolfa.com
ffôn 01970 832 304
ffacs 832 782

U N

1

Heulwen! Dyna feddyliodd e. Heulwen! Ar ôl – faint? Ond pam gofyn, roedd e'n gwybod yn union faint o flynyddoedd oedd 'na. A misoedd, a dyddiau. A Dan, wrth gwrs. Ond – *Heulwen!*

Ond y dechrau gynta. Wel, ddim yn hollol y dechrau i gyd. Ond dechrau gweddill y stori fel petai. Hwnnw gynta. Dechrau yn y dechrau. (Fwy neu lai.)

★

Roedd Glyn yn dal ar ei gnoead cynta o dost pan gyhoeddodd y Difa:

'Halfords!'

Troi oddi wrth y feicrodon at y bwrdd oedd hi â bowlennaid o uwd cynnes yn ei llaw dde a rhestr a lenwai ddalen A4 yn ei llaw chwith.

'Bydd 'da nhw *eyelets* i'r adlen yn Halfords a stwff glas i'r lle chwech. Fydd 'na ddim Halfords yn y Bala, Glyn. A Glyn, gwisga wir ddyn! 'So ti fod yn borcyn yn y gegin, ni'n byta bwyd yn y gegin. A bydd 'na ddwsin o ferched ifanc diniwed yn glanio 'ma o fewn hanner awr. 'So nhw moyn dy weld di yn dy bans, odyn nhw?'

Edrychodd Glyn i lawr ar ei bans gan golli briwsionyn o dost arnyn nhw o'i geg. Clywodd dytian y Difa wrth iddo roi'r tost yn ôl ar y plat.

'Ma ishe bylb newydd uwchben y sinc. 'Wy wedi nodi pwy fath – a phegie i'r adlen.' Dilynai ei llais ef i fyny'r grisiau i'w ystafell wely gan godi'n uwch wrth iddo ymbellhau oddi wrthi. 'Hanner job 'nest ti o'u codi nhw ar ôl Steddfod yr Urdd, ma dwsine'n dal ym mhridd Ca'rdydd.'

Tynnodd Glyn bâr glân o jîns am ei goesau.

'A treia beido cwmpo drwy ochor yr adlen tro 'ma, Glyn. 'So ni moyn gwinio *eyelets* newydd yn yr adlen bob tro ma hi'n ca'l owting!'

'O'dd hi'n dywyll,' meddai Glyn yn wanllyd wrth roi ei freichiau i mewn yn ei grys streipiog glas.

'O't *ti'n feddw*!' cywirodd y Difa o'r gegin. 'Treia ffindo'r drws tro nesa. Neu'n well byth, treia beido meddwi.'

Roedd e wedi gwneud yn dda i beidio agor potelaid o'r coch tan y noson ola, dadleuodd Glyn yn ei ben. Ac roedd Twm Bas wedi dod draw o'i babell ym mhen arall y maes carafannau a'r ddau wedi bod yn potio'i hochor hi wrth wylio'r rhaglen o'r Eisteddfod ar y teledu yn y garafán, ac wedi chwerthin ar ben-ôl y Difa'n ysgwyd yn braf ar flaen y llwyfan wrth iddi arwain côr Merched y Cwm – a'r pen-ôl ei hun yn edrych gryn ugain pwys yn drymach na'r deg pwys honedig a roddai'r teledu ar bwysau rhywun.

'A fe dorrest ti'r gader,' daeth llais y Difa eto i'w geryddu. 'Ar y rât 'ma, fydd dim carafán ar ôl 'da ni erbyn Glynebwy.' Ai rhestr o bethau i'w prynu cyn cychwyn oedd ganddi yn ei llaw, neu restr o'i droseddau e? Ai'r un rhestr oedd y ddwy? Gwyddai mai fe fyddai'n gwnïo'r *eyelets* newydd yn eu lle, felly pam roedd hi'n mynnu ei geryddu unwaith eto am gamwedd a ddigwyddodd dri mis ynghynt?

'Der ag un arall. A fydd ishe...'

'Yw'r cyfan ar y list?' torrodd Glyn ar ei thraws wrth anelu am yr ystafell ymolchi i daro llyfaid o ddŵr dros ei wyneb.

'Ydi. Ond o dy nabod di, fyddi di siŵr o anghofio rhwbeth. Do's dim amser 'da fi i sorto'r garafán, Glyn. Os bydde, nelen i fe, ond bydd y merched 'ma mewn...' Dychmygodd Glyn hi'n bwrw golwg ar ei watsh. 'Pum munud ar hugen. Ma'r drefen: golchi'r ffrij – ma hi'n siŵr o fod yn drewi – lawr i Morrisons, siopa bwyd fel sy ar y list, Halfords, fel sy ar y list, gatre, bennu llanw'r garafán. Ti'n meddwl galli di ddod i ben 'da hynna? Fydda i wrthi am gwpwl o orie 'da'r merched.'

Druan ohonyn nhw. Tynnodd grib drwy ei wallt brith a bwrw i'w arfer boreol o flaen y drych o geisio tynnu cudyn neu ddau dros y patsyn bach moel ar ei gorun.

''Wy'n siŵr galla i,' atebodd.

'Defnyddia ddisinffectant ar y ffrij. Do's dim byd gwa'th na ffrij yn drewi.'

Newyn, cansyr, rhyfel, terfysgaeth, marw...

''Na i.'

Clywodd y radio yn y gegin yn cael ei throi ymlaen a synau bandiau pres yn ei gyrraedd ohoni. Clywodd y Difa'n hel y platiau i'r sinc – ta-ta i'w dost – gan eu clencian yn galed yn ei gilydd. Roedd gorfod aros tan ddydd Sul cyn gallu cychwyn am Steddfod y Bala'n dweud arni. Colli dau ddiwrnod o'r Ŵyl, gystal â bod, am nad oedd merched parti cerdd dant a pharti llefaru'r Cwm yn gallu dod at ei gilydd i ymarfer tan heddiw, gan fod dwy neu dair ohonyn nhw'n gweithio yn ystod yr wythnos (oriau gwahanol i'w gilydd) a dwy neu dair arall heb ddod yn ôl o'u gwyliau. 'Diddiwylliant' oedd disgrifiad eu hyfforddwraig ohonyn nhw tu ôl i'w cefnau.

Anelodd Glyn yn ôl i lawr y grisiau.

★

Agorodd ddrws yr oergell yn y garafán a chael slap yn ei drwyn gan y drewdod. Gwisgodd y Marigolds a fachodd o'r cwpwrdd-dan-sinc a thywallt joch dda o Ddomestos ar ei

JCloth tamp. Glanhaodd yr oergell nes ei bod hi fel newydd (*roedd* hi'n newydd, 'yn duw!) a gwneud yn siŵr nad oedd 'mo'r ġwyntyn lleiaf ar ôl o'r drewdod i'r helgi praffaf – na'r Difa – allu ei synhwyro. Caeodd ddrws yr oergell a throi i edrych ar y garafán.

Cofiodd saga'i phrynu. Roedd y Difa wedi holi perfedd pob aelod o Glwb Carafanwyr Cymru cyn prynu'r un flaenorol, ddau ddegawd yn ôl. Ond y tro hwn, hi oedd yr arbenigwraig, a threuliodd wythnosau'n cymharu prisiau a lliwiau deunyddiau'r seti ar y we. Swift Challenger 4-berth oedd yn gweddu orau i'w gofynion ar gyfer uwchraddio, a honno a gafwyd. Mynnodd y Difa dalu hanner canpunt yn ychwanegol am batrwm defnydd ychydig yn dywyllach na'r lliw hufen plaen a ddôi gyda'r garafán – rhag iddo fe golli gwin coch dros yr hufen a'i ddifetha. Byddai'r patrwm *leaf green and burgundy* a ddewiswyd gan y Difa yn y diwedd yn llwyddo i guddio unrhyw ddamweiniau bach anorfod felly ar ran Glyn.

Trwy ffenest y garafán, gwelodd bedair o'r merched yn cyrraedd y tŷ ac aeth allan atynt.

'Iawn, syh?' holodd Janine (crafu 'D' TGAU) gan wenu'n llydan arno. 'Fi lwco fforwyrd i thing Steddfod lark 'ma.'

'Go dda,' meddai Glyn gan bwyso ar y garafán. Wnâi e ddim trafferthu ei chywiro a hithau'n wyliau haf.

'Lico gloves chi, syh,' gwenodd Siân (B, falle A, Lefel A flwyddyn nesa). Lle roedd dechrau cywiro?

'Rili siwto chi down to the ground, syh!' ategodd Ann (A serennog TGAU).

Fe'i cafodd Glyn ei hun yn rhyfeddu eto pa mor chwimwth roedd lilt acen Caerdydd wedi treiddio fel osmosis i Gymraeg ieuenctid y canolbarth. Cyn hir, byddai merched Caernarfon ac Amlwch yn siarad â'r un llediaith ddinesig â'u cymheiriaid yn ysgolion Cymraeg y brifddinas. Ai dyma bris uno'r genedl fach hon, ystyriodd – nid am y tro cyntaf?

'Ewch mewn, ma Dilys a'r lleill yn 'ych disgwyl chi.'

Clywodd y pedair yn giglo'n dawel yn ei gefn.

'Dowch fewn, ferched!' clywodd lais y Difa yn nrws y tŷ. 'Glyn! Rho sos coch ar y rhestr siopa 'na! Ti'n gwbod shwt y't ti'n ffili byta tatws heb sos coch.' Cynyddodd y giglo. 'Lle ma Tracy? 'So hi gyda chi? Ma'r groten 'na ar 'i rhybudd ola!'

Clywodd Glyn y drws yn cau amdanynt, gan feddwl yn siŵr y byddai sos coch ar gael yn siopau'r Bala hyd yn oed.

Gafaelodd mewn hen gopi o *Golwg* a orweddai ar y bwrdd ers Eisteddfod yr Urdd a'i rowlio'n arf i whalu pob owns o einioes allan o'r pryfed a hedfanai'n swnllyd yn y garafán. Lladdodd gryn ddwsin a theimlodd y chwys yn gwlychu bonion ei wallt. Oedodd i wrando am ragor o rŵn pryfed. Cawsai wared ar y rhai mwyaf swnllyd – a lleiaf doeth – ond roedd y rhai clyfraf yn dal yno, fe wyddai, yn ddistaw bach yn toddi'n dawel i mewn i liwiau'r dodrefn rhag tynnu sylw atynt eu hunain ac ennyn cynddaredd ei gopi o *Golwg*.

Eisteddodd Glyn wedi ymlâdd – câi'r pryfed callaf oroesi am heddiw.

★

Ar ei ffordd adre o Halfords a Morrisons (gallai dyngu iddo anghofio rhywbeth o Halfords, ond roedd y rhestr ar waelod y bag siopa yng nghefn y car), dechreuodd Glyn feddwl dros y gwaith ymchwil roedd e eisoes wedi'i wneud ar ei nofel nesa. Fe'i câi ei hun yn aml yn meddwl amdani pan fyddai yn y car ar ei ben ei hun. Byddai'n rhaid iddo ofalu gweithio'n galetach ar hon. Cofiodd sut roedd e wedi arllwys y llall – y gyntaf, yr unig nofel ganddo a gyhoeddwyd hyd yn hyn – i mewn i chwe wythnos yn ystod gwyliau'r haf, a difarodd iddo'i chyflwyno i'r cyhoeddwyr heb oedi drosti gyntaf, heb wrando ar eiriau'r golygydd wedyn, yn ei frys brwd i weld ei waith mewn print. Gwaredai wrth feddwl amdani nawr – gwaith llencyn yn ei arddegau oedd hi, nid cynnyrch dyn dros ei hanner cant. Ychydig iawn o sylw a gafodd a doedd dim adolygiadau ohoni, fel pe bai hi islaw sylw unrhyw adolygydd gwerth ei halen. Byddai'r nesa'n ganmil gwell. Bu'n ymchwilio ers chwe mis, yn darllen am Gymru'r Oesoedd Canol, gan ei atgoffa'i hun am fywyd y cywyddwyr cynnar. Nofel am Ddafydd ap Gwilym fyddai hon, ei fywyd, ei garwriaethau, ei deimladau a'i ddyheadau. Gallai weld ei hun yn derbyn canmoliaeth gynnes, edmygus y gynulleidfa yn seremoni wobrwyo Llyfr y Flwyddyn, a'i araith fer, ddiymhongar yn rhoi'r clod i Ddafydd ei hun am ddisgleirio yn ffurfafen ein llên.

Byddai'n rhaid iddo fynd â'r gwaith i'r Steddfod. Efallai y câi ryw oleuni yn y fan honno er mwyn gallu dechrau ei hysgrifennu go iawn. Roedd yna ben draw ar ymchwil. Câi oriau'n rhydd bob dydd tra byddai'r Difa'n malwennu ei ffordd rownd y maes gan gyfarch y genedl a'u diflasu'n stwmp â'i sylwadau am feirniaid di-glem. Ni fyddai'r Difa ronyn dicach pe bai e'n ei esgusodi ei hun rhag y gorchwyl llafurus hwnnw. Gwyddai cystal ag yntau na allai e ddod i ben â chreu sgwrs gall â neb y tu hwnt i'r cyfarchiad cyntaf.

Rhegodd ei hun am anghofio prynu *briefcase* a chlo arno tra oedd yn y dref yn siopa. Nid oedd am i'r Difa osod ei threm dros ddrafft gyntaf y nofel rhag iddo gael ei lethu'n llwyr gan ei beirniadaeth, cyn iddo ddechrau bron.

Ers wythnos neu ddwy, bu'n chwarae â'r syniad o greu cariad arall i Ddafydd, un na chyfeiriodd y bardd ati yn ei gywyddau am mai honno oedd yr Un Go Iawn. Honno oedd Morfudd, Dyddgu ac Angharad oll yn yr un cnawd, morwyn ddisylw, heb wreiddiau na haeddai gywyddau mawl ffformiwläig felly, ond un a enillasai galon Dafydd yn llwyr. Gallai'r bardd fod wedi'i chyfarfod yn ne Ffrainc pan fu ar ymweliad (os…? Na, gallai ddweud ei *fod* wedi teithio yno – fel mae rhai awdurdodau yn y maes yn ei dybio) a gallai yntau dynnu ar brofiadau'r gwyliau haf a dreuliodd ef a'r Difa'n carafanio yng nghysgod y Pyrenees. Gallai Dafydd ddod â hi'n ôl gydag e o dde Ffrainc – gwych! Golwg newydd ar bethau, o'i ben a'i bastwn ef ei hun.

Arglwydd mawr, beth gododd arno i ddewis testun mor astrus, meddyliodd eto.

Gwasgodd Glyn fotwm radio'r car i yrru Dafydd gymhleth o'i feddwl am nawr, gan ddisgwyl clywed sŵn bandiau pres.

'… sgwrs a recordiwyd yn ddiweddar gyda'r Doctor Heulwen Pears, un o feirniaid Cystadleuaeth y Goron eleni. Croeso, Heulwen.'

'Diolch yn fawr, Angharad.'

'Testun y Goron, 'Yn y Gwaed'. 'Ŵan 'ta, heb ddadlennu gormod cyn dydd Llun am y gystadleuaeth ei hun wrth gwrs, am be oeddach chi'n chwilio gan y beirdd, Heulwen?'

'Wel, Angharad… '

Diffoddodd Glyn y radio ar Angharad Wyn a Heulwen Pears.

2

Tynnodd Glyn bentwr o bapurau ato oddi ar ddesg y stydi. Câi seibiant bach i roi trefn ar ei nodiadau ar gyfer y Chweched y flwyddyn nesaf cyn gorffen paratoi'r garafán. Byddai'n ddiogel rhag gorchmynion y Difa am awren neu ddwy. Clywai'r parti'n mynd drwy'i bethau am y pared ag e, a'r Difa'n cyfeilio ar ei thelyn. Os cyrhaeddent y llwyfan, câi'r genedl sbario gweld ei phen-ôl yn ysgwyd wrth iddi arwain gan nad oedd arweinydd ar barti cerdd dant. Cododd bentwr o nodiadau Waldo a THP-W a'u rhoi naill ochr. Roeddynt wedi gwneud y tro'n iawn dros yr ugain mlynedd diwethaf (*deng* mlynedd ar hugain yn agosach ati, cywirodd ei hun gan waredu), fe wnaent y tro'n iawn eto. Trodd at ei ffeil o waith beirdd cyfoes. Byddai'n rhaid iddo gofio gwahodd Iwan Llwyd a Myrddin i'r ysgol eto leni, meddyliodd. Haws i'r bardd ei hun egluro yn ei eiriau ei hun beth oedd yn mynd drwy'i feddwl wrth gyfansoddi'r gerdd. Llai o waith crafu pen iddo fe.

Ni allai'r pum mlynedd nesaf basio'n ddigon sydyn i Glyn. Heblaw am y Difa, byddai wedi ymddeol yn gynnar er mwyn gallu treulio'i ddyddiau fel awdur. Ond roedd hi wedi datgan yn bendant nad oedd ymddeoliad cynnar i fod. Câi aros nes ei fod yn drigain. Credai'r Difa mai esgus dros ddiogi fyddai ymddeoliad iddo. Gallai Glyn ei dychmygu'n cyhuddo Solzhenitsyn a Tolstoy a D. H. Lawrence a Dickens a Bethan Gwanas o dreulio'u hoes lengar yn gwneud dim ond gwagswmera'n bwdwr o fore gwyn tan nos. Nid ymestynnai ei rhagfarn at feirdd; na, hi oedd y gyntaf i werthfawrogi crefft prydydda, yn enwedig os oedd y gwaith wedi'i osod ganddi i gerdd dant, fel y gwnaethai i gannoedd o gerddi dros y degawdau.

Neu efallai mai dim ond yn ei achos ef roedd hi'n ystyried ysgrifennu nofel fel esgus dros ddiogi.

'Na, Janine! Ma dy lais di'n sefyll mas ar y "Di" ucha 'na! Paid â'i ganu fe os ti'n ffili cyrra'dd y nodyn!'

Sŵn intro'r delyn eilwaith, a Glyn yn methu canolbwyntio ar ei nodiadau wrth rag-weld strach y 'Di' ucha eto a llais Janine yn crafu. Yr intro, tam, ta-ri, tam tam, canai'r delyn: unrhyw eiliad nawr. A'r lleisiau…

'Na! Chi ddim 'da'ch gilydd o gwbwl! Dewch *mla'n*! Ma'r gystadleueth ddydd Llun a 'wy moyn 'ych gweld chi ar y llwyfan 'na cyn wired â bo fi'n iste fan 'yn! Sai wedi hwysu i'ch dysgu chi ers mis Ionawr i'ch ca'l chi'n ffili dod mewn 'da'ch gilydd!'

Yn ymarfer y côr meibion y noson cynt, roedd Arfon yr arweinydd wedi cwyno'r un fath. 'P-p-p-pan fyddo'r nos yn hir' ddim yn ddigon da i gôr o'u calibr nhw, meddai. Hen gân ddigon anodd oedd hi ar y gorau, er ei bod yn ymddangos yn syml. Roedd hi'n orchest rheoli'r llais i ganu'n ddistaw ar ddechrau'r darn heb golli'r donyddiaeth. A rhan y tenoriaid ar ei ddiwedd yn waith caled i Glyn. Ni fedrai gyrraedd y nodau uchaf yn soniarus, a sawl gwaith bodlonodd ar wneud siâp ceg yn unig.

Canodd y gân yn dawel iddo'i hun, i'w atgoffa o'r geiriau'n fwy na dim. Sut na chawsai e rywfaint o felyster llais yr hen Ryan? 'Y-na drwy'r twy-llwch du,' mwmiodd yn ddistaw cyn i'r cerdd dant drws nesa gydio yn nodau ei 'Pan fyddo'r nos yn hir' ef a gwneud poitsh. Rhwng alaw'r delyn, ac alaw'r merched yn canu geiriau Dic Jones yn atseinio yn ei ben, pa obaith oedd ganddo i ymarfer cân Ryan?

Yr intro eto, tam, ta-ri, tam, tam. Ni allodd Glyn ddal rhagor, a llond ei ben o gerdd dant yn ei rwystro rhag gallu canolbwyntio ar ddim. Aeth drwodd atynt.

'Lle ma'r hedffons?'

Tynnodd y Difa ei bysedd oddi ar y tannau.

'Pam wyt ti moyn hedffons? Treial gweud bod dim siâp arnon ni wyt ti?'

Clywodd Glyn bwff o chwerthin yn dod o gyfeiriad Janine, ond dim ond wyneb wedi'i rewi a gafodd gan y Difa.

'Na... treial practeiso darne'r côr 'wy i,' eglurodd yn wan.

'Glyn bach, esgus i yfed yw dy gôr di. Fydden i ddim yn trwblu'n hunan i ddysgu dim byd os bydden i'n dy le di, chewch chi byth lwyfan.'

Ar hyn, tasgodd tant yn rhydd o rywle yng nghanol ei thelyn. Trychineb.

'O! Ddim *nawr*!' gwaeddodd y Difa ar yr offeryn gan lamu oddi wrthi. 'Si! Midl Si! Shwt y'n ni fod i ymarfer heb midl Si?'

Nid atebodd ei thelyn. Edrychodd un neu ddwy o'r merched a safai'n ddwy resiaid a lenwai'r lolfa ar ei gilydd: efallai y caent waredigaeth yn gynt nag y dychmygodd yr un ohonynt.

Tynnodd y Difa ddrôr ar agor a chwilota rhwng y dunnell o dannau a orweddai'n barod yno ar gyfer ryw galamitis o'r fath.

''Wy'n gwbod nag o's midl Si 'da fi! 'Wy'n *gwbod*! Ma'r tant 'na wedi bod yn whare lan yn ddweddar, ma'n rhaid bod rwbeth yn bod ar y sownd-bôrd. Bydd *rhaid* i fi ga'l telyn arall.'

Gwelodd Glyn ei gynilion prin yn diflannu o flaen ei lygaid.

'Treiwch Di neu Bi, Mrs Edwards,' cynigiodd Ann yn gymwynasgar.

'Midl Si yw e *fod*! Ddim Di na Bi. Arnot ti ma'r bai, Glyn, yn boddran am ryw *headphones*!'

Beth, fi yrrodd feibs o 'mhen i dorri'r tant, ife? holodd Glyn yn ei ben.

Daeth y Difa o hyd i dant.

'Bydd rhaid i Di neud y tro,' a dechreuodd droi'r allwedd i ryddhau'r tant toredig â medrusrwydd meistres wrth ei chrefft. Diflannodd Glyn yn ôl i wâl y stydi.

Agorodd ddrôr i gyfeiliant cerydd y Difa wrth iddi restru'n brysur wendidau datganiad diwethaf y parti cerdd dant cyn i'r tant ei bradychu. Dychmygai Glyn ei bysedd yn gweu'r tant newydd drwy'r twll yn sownd-bôrd ffaeledig y delyn a thrwy beirianwaith y pegiau ar hyd ei meingefn. Tynnodd y nodiadau a wnaethai eisoes am Gymru'r bedwaredd ganrif ar ddeg o'r drôr a bwrw golwg drostynt. Caent ddod i'r Steddfod yn gwmni iddo tra byddai'r Difa'n croesi 'nôl ac ymlaen rhwng pabell Clive Morley Harps a phabell Salvi wrth geisio cymharu rhagoriaeth un math dros y llall. Âi gwobr Llyfr y Flwyddyn ran o'r ffordd i dalu am delyn newydd, meddyliodd yn ddiflas. Rhan fach o'r ffordd.

Clywodd sŵn cloch y drws ffrynt yn canu. Cododd i'w agor, ond roedd y Difa wedi achub y blaen arno.

'Llion,' clywodd Glyn hi'n mwmian yn siomedig. 'O'n i'n meddwl mai Tracy oedd 'na.'

'A neis dy weld dithe 'fyd, Mam,' meddai Llion wrth iddo ddod i mewn heibio iddi.

'Gwd afftyrnŵn, gyrls,' clywodd Glyn e'n cyfarch y merched yn y lolfa, a dychmygodd nhw'n gwenu'n ôl yn awgrymog arno, ac yn cyfnewid edrychiadau hormonaidd â'i gilydd.

''Wy ar ganol... ' dechreuodd y Difa brotestio.

'Yw Dad 'ma?' holodd Llion ar ei thraws.

'Ma fe'n whilo am ryw *headphones* er bod e i fod i gliro'r garafán a wedes i wrtho fe am fynd lawr i Halfords... '

'Moyn gwbod a yw e 'ma 'wy i, fenyw,' meddai Llion, 'ddim gofyn am 'i leiff histori fe.'

'Yn y stydi,' prepiodd y Difa'n swta.

''Na fe, ddim mor anodd â 'ny, o'dd e?' meddai Llion wedyn. 'Shwt 'yt *ti* 'te, tethe pert?'

Cafodd Glyn ei hun yn ceisio dychmygu pa aelod o'r parti roedd Llion yn ei chyfarch felly. Daeth pwff o chwerthin merched i'w glustiau.

'Llion!' ceryddodd y Difa.

'Ddim 'da ti o'n i'n siarad, Mam.'

'Beth ti moyn 'da dy dad?'

'Ddim 'i ddoethineb e na'i ffraethineb i, weda i 'ny.'

'Shisht, Llion.' Nid consýrn dros ei deimladau e a wnaeth iddi ei shyshio, roedd Glyn yn reit siŵr o hynny. Embaras o flaen y merched, yn fwy tebygol.

'Ti ofynnodd! Wotsiwch ganu'n rhy galed. Ma' fe'n distorto'ch gwefuse chi.' Dychmygodd Glyn ei fab yn cau ei wefusau'n denau dynn wrth iddo ychwanegu: 'Neud chi'n *anal*, union fel Mam.'

Llion Hedd. Y Difa ei hun oedd wedi mynnu ychwanegu'r 'Hedd'. Byddai hi wedi bod yn fwy addas i dad Genghis Khan alw'i fab yn Tirion.

Daeth Glyn allan o'r stydi rhag i Llion beri mwy o gywilydd i'w fam.

'*Pater noster*,' cyfarchodd Llion ef yn y cyntedd. Amneidiodd Glyn arno i fynd allan a dilynodd ei labwst dwylath a modfedd o fab ef drwy'r drws cefn. Aeth Glyn i mewn i'r garafán a phlygodd Llion ei ben wrth ei ddilyn drwy'r drws. Roedd Glyn wedi pendroni sawl gwaith pam uffarn roedd yn rhaid i'r Difa fynnu cael *4-berth*, eto doedd y bobl a oedd yn pennu'r pethau hyn ddim yn ystyried meintiau pobl ddwbl eu maint fel Llion. Nid y byddai Llion yn breuddwydio mynd gyda nhw i unman yn y garafán dros ei grogi. Haws gan Glyn ddychmygu'r delyn yn cynhyrchu caws.

Ni chaed brawd a chwaer mwy gwahanol a chwbl groes i'w gilydd na Llion Hedd ac Awel Mai (rhyw rechen wlyb o awel, meddyliodd Glyn). Roedd gan Llion beth wmbreth yn fwy o gelloedd ymenyddol, ond ni wnaeth y bachgen unrhyw ddefnydd o'r un ohonyn nhw erioed – a dyna pam mai barman oedd e, yn hytrach na chyfieithydd i'r Cynulliad yng Nghaerdydd fel Awel Mai. Ond roedd Llion bellach wedi setlo o leia ac yn sefyll ar ei ddwy droed ei hun ers iddo ddechrau cyd-fyw â Nia mewn fflat fach ddigon teidi yn dre.

Gwthiodd Llion heibio i'w dad a disgyn yn drwm ar y seti patrwm *leaf green and burgundy*, gan fygwth troi'r garafán. Caeodd Glyn y drws, jest rhag ofn y dôi'r cerdd dant o'r tŷ tuag ato eto a bygwth troi ei ben yn shwps.

'Wedodd y Difa bo ti'n fishi,' meddai Llion.

'Paid â'i galw hi'n hynna.'

'Teidi!' edrychodd Llion o'i gwmpas ar du mewn y Swift Challenger. '*Delightful.*'

'Beth ti moyn?' Go brin y dôi i'w gweld nhw heb fod arno eisiau rhywbeth. 'Nia'n iawn?'

Cododd Llion ei ysgwyddau fel petai'n awgrymu, beth wn i?

'Dyw hi ddim wedi *mynd*?' Methai Glyn gadw'r siom o'i lais. Roedd Nia'n un ddigon didrafferth ar y cyfan (a challach nag yr awgrymai ei dewis o bartner) er nad hi oedd y deallusa o ferched dynion.

'O'dd hi 'na bore 'ma pan godes i,' meddai Llion. 'Ond 'wy ddim wedi dachre habit o ofyn iddi shwt ma hi bob dydd, wedyn alla i ddim gweud wrthot ti os yw hi'n iawn neu bido.'

'Sdim lot o amser 'da fi,' meddai Glyn wrth edrych ar yr haen o lwch ar ffinish pren y celfi. Agorodd gwpwrdd a gweld fod yno glwtyn a wnâi'r tro. Dechreuodd ddystio wrth i Llion benderfynu dweud yn iawn beth oedd e moyn – lladd dau dderyn.

'OK. Dim *preambles*, 'te,' meddai Llion gan ei wylio'n tynnu llwch o gilfachau'r cypyrddau top. ''Wy moyn arian.'

'O?' ceisiodd Glyn roi tinc ysgafn, sarcastig o syfrdandod i'w lais. ''Na i gyd? Ga i ofyn tua faint?'

'Cwpwl o filo'dd,' atebodd Llion yr un mor ddidaro.

'A ga i ofyn i beth?' Nid dyma'r tro cyntaf iddo gael y sgwrs hon. A dweud y gwir, roedd hi'n gêm roedd y ddau wedi'i chwarae droeon dros y blynyddoedd. 'Ddim i briodi, ma'n siŵr.'

'Ti off dy ben? Nage. I dalu cyfreithwr.'

'Beth?' Troead bach newydd i'r gêm.

'Rho's i gwpwl o glowts i ryw fachan ddoth mewn i'r dafarn a gofyn am belten 'da'i beint.'

'Pwy fachan? Pryd?'

'Jiw, ma siŵr o fod tair wthnos ers 'ny.'

'Pam mai nawr ni'n ca'l clywed am hyn?' Ni, ac eto... sut ddiawl oedd dweud wrth y Difa? Roedd Llion wedi bod yn gwlffyn mawr, parod-ei-dymer erioed ond doedd yr un o'r achlysuron cynt wedi arwain at orfod cael cyfreithiwr, er iddi ddod yn agos at hynny unwaith neu ddwy.

'Nawr 'wy moyn talu am gyfreithwr.'

Rhedai llif o gwestiynau drwy feddwl Glyn. Gwyddai y byddai'n rhaid iddo chwysu i odro atebion gan ei fab.

''Yt ti wedi bod yn y llys?'

'Weito am y dyddiad.' Poeni dim, yn ôl ei olwg.

'Pwy... pwy ddyrnest ti?'

''So ti'n 'i nabod e. Rich Evans, Nant.'

'Ddim...' ceisiodd Glyn gofio. 'Ddim 'da fe buest ti'n ffeito o'r bla'n? Llynedd, flwyddyn cynt?'

''Na fe. Bingo.'

'Achos bod e wedi mynd bant 'da, beth yw 'i henw hi, dy hen gariad di... Rhian?'

Cododd Llion mor sydyn ag yr eisteddodd a sadiodd Glyn ei hun yn erbyn y ffwrn rhag iddo gwympo.

'Os ti ddim moyn helpu, af i.' *Touché.*

'Wedes i ddim o 'ny.' Lle uffarn gâi e hyd i rai miloedd o bunnoedd a'r Difa a'i llygaid ar delyn newydd? Beth oedd yn bod ar ofyn am Legal Aid? Sut oedd pethau felly'n gweithio? 'Beth ddigwyddodd?' gofynnodd yn dawel i geisio cymell ei fab i eistedd yn ei ôl.

'Ga'th e gwpwl o glowts o'dd e'n 'u haeddu. O'dd e'n haeddu mwy ond do'n i ddim yn ffansïo ca'l o's am myrdyr.'

'Beth 'nest ti iddo fe?'

'Wel, fuodd dim rhaid iddo fe jodde byta bwyd hospital,

os 'na beth ti'n becso.'

'Falch o glywed.'

''So fe'n ca'l *byta* unrhyw fwyd am fis arall. Sugno trwy strô ma fe.'

'Crist o'r nef, Llion!'

'*Lion by name, lion by nature.*' Tynnodd ei fys drwy'r llwch ar y silff ffenest.

'Fydde hi ddim yn well i ti gwmpo ar dy fai, cyfadde'r cwbwl a peido ymladd yr achos?' mentrodd Glyn.

'Ac yn tshepach i ti, ti'n feddwl.'

'Wel, gallet ti weud bod hi'n ddrwg 'da ti.'

''So hi *yn* ddrwg 'da fi.'

'Ond… '

'Odi Marie Antoinette yn dod gatre Dolig?' torrodd Llion ar ei draws.

'Beth wn i? Mis Awst yw hi. Ac Awel yw 'i henw hi… '

'Ffesant 'da fi iddi hi'n y ffrîsyr. Swno'n ddigon crachedd iddi, ti'n meddwl?'

'Ma ache tan Dolig.'

'Wel, alla i ddim cownto ar ddreifo dros un arall cyn Dolig. Dreia i 'ngore ond do's dim garantî.'

'Faint ma cyfreithwr yn mynd i gosto?'

'Allen i lapo carcas llygoden ffyrnig mewn bag Marks & Spencer's, a fydde hi ddim callach.'

'Paid â lladd ar dy whâr.'

'Rhy *posh* i fynd i'r tŷ bach.'

'Y cyfreithwr 'ma… '

Agorodd Llion ddrws y lle chwech a thrwyna.

'Do's dim stwff glas 'da ti i'r cachdy?'

'Damo!' gwichiodd Glyn wrth gofio beth oedd e wedi anghofio'i brynu yn Halfords.

3

'Cer i lanhau'r garafán 'te, Glyn.'

''Wy wedi glanhau'r garafán.'

'Y gawod?'

'Do's neb wedi iwso'r gawod ers iddi ga'l 'i glanhau ar ôl Steddfod yr Urdd.'

'Pryfed, Glyn.' A hwyliodd y Difa yn ôl i'r lolfa at y merched a phaned yn ei llaw iddi ei hun. Ceisiodd Glyn feddwl a allai gofio a oedd 'na haid o locustiaid wedi goddiweddyd y garafán yn unswydd i ddefnyddio'r gawod rywdro yn ystod y tri mis diwetha.

Clywodd y merched yn llefaru drws nesa, a'r Difa'n eu gorchymyn gan godi ei llais yn uwch wrth iddyn nhw fethu dod i mewn gyda'i gilydd am y pedwerydd tro. Dôi pall ar amynedd y parti. Roedden nhw eisoes wedi bod wrthi'n cerdd danta neu'n llefaru ers dros ddwy awr yn barod a dim golwg cau pen y mwdwl ar y Difa. Credai ei bod hi'n gallu bwlio'r rhain i wneud yn ôl ei hewyllys fel y gwnâi â'i phlant cynradd, ond roedd terfyn ar faint roedd dwsin o ferched yn eu harddegau'n fodlon ei ddioddef cyn gwrthryfela. Digwyddodd hynny eisoes yn achos bechgyn yr Aelwyd. Ddwy flynedd yn ôl, roedd hi wedi'i gwneud hi'n amod aelodaeth fod *pob* aelod yn canu yn ei chôr, a chollodd chwe aelod gwrywaidd yn dilyn ymarfer teirawr yn y tŷ dridiau cyn Steddfod Sir

Fflint. Rhoddodd llwyddiant parti Merched y Cwm rywfaint o adferiad iddi, ond roedd hi'n dawnsio'n agos at y dibyn eto, ac un – Tracy – yn amlwg wedi penderfynu nad oedd y lark Steddfod 'ma, chwedl Janine, yn werth yr ymdrech. Yn ei sefyllfa hi, fe fyddai Glyn wedi dod i'r un canlyniad. Y niferoedd oedd y maen melin am wddw'r Difa. Gwyddai hi, a gwyddai'r merched, y byddai colli un neu ddwy arall yn gwneud y parti cerdd dant neu lefaru'n rhy fychan o ran niferoedd. Ond roedd y ffordd roedd hi'n codi ei llais yn y lolfa'n awgrymu ei bod hi'n hwylio'n agos i'r gwynt. Chwarter awr arall, ac fe fyddai Janine a dwy neu dair o'r lleill yn siŵr dduw o'i bygro hi oddi yno.

Edrychodd o'i gwmpas ar y stydi (*box room* fyddai diffiniad gwerthwr tai ohoni). Dwy ddesg, un i'r athro Cymraeg/ nofelydd yn erbyn y wal gefn, ac un arall gyferbyn â hi i brifathrawes Ysgol Gynradd Rhydarian ar y wal flaen, a ffenest fach yn y canol rhyngddynt a edrychai i lawr ar y car a'r garafán yn y dreif. Gefn wrth gefn y gweithient, yn marcio gwaith plant rhwng chwech a deunaw oed. Nid dyma lle gweithiodd ar ei nofel, chwaith – diflannu i'r gegin a wnâi pan oedd honno ar y gweill, ac i'r lolfa wedi i'r Difa fynd i'w gwely yn dilyn newyddion deg. Ni allai oddef ysgrifennu yn ei chwmni hi, a phan gyhoeddwyd y nofel, fe edrychodd y Difa ar y copi cyntaf a anfonwyd ato gan y wasg, a barnu nad oedd e'r math o stwff roedd hi'n hoff o'i ddarllen. A wnaeth hi ddim chwaith, am a wyddai Glyn.

Roedd y Difa wedi symud ymlaen at y llefaru erbyn i Glyn gyrraedd yn ôl o'r dre am yr eildro. Cyfarfu ag e yn y drws cefn.

'Wyt ti wedi gweld "Lleoedd" Alan Llwyd?' Ni allai Glyn daeru iddo erioed gyfarfod ag Alan Llwyd, heb sôn am ei leoedd e. 'Ma'r copi 'ma rhwle. Wyt ti siŵr o fod wedi'i godi fe.'

Dilynodd y Difa fe i'r stydi. Rhoddodd Glyn y *briefcase* newydd i lawr yr ochr arall i'r gadair swifl rhag iddi ei weld.

'Beth ti'n neud?' Roedd hi'n byseddu drwy ei nodiadau Lefel A.

'Chwilio am y copi, Glyn. Ti'n bownd o fod wedi'i roi e 'da dy nodiade di. 'Wy 'i angen e i'r parti llefaru.' Egluro fel pe bai hi'n egluro wrth un o'i phlant Blwyddyn Derbyn.

'Ddylen nhw fod yn 'i wbod e erbyn hyn. A tithe.'

'Ma rhaid i fi 'i ga'l e! 'Wy'n moyn dybl-tsheco pwyslais ambell air. Ma'r marce ar y copi. Beth yw hwnna?' Glaniasai ei llygaid hollweledol ar y *briefcase*. Cododd ef a'i archwilio. 'Ma 'da ti friff-cês yn barod!'

'Moyn un i'r nofel.'

'Nofel? Hôl stwff i'r garafán o't ti fod i neud, Glyn, ddim prynu briff-cês ac un 'da ti'n barod.'

Ddim un â chlo.

'Gofiest ti ddŵr glas yr elsan?'

'Do.'

'Canister nwy?'

'Do.'

'Batris? Tortsh? Can dŵr arall?'

'Do. Do. Do.'

'Dere mewn i wrando ar y merched, 'te. Gweld beth wyt ti'n feddwl.'

'O's raid?' gofynnodd yn ddiflas.

'O's, Glyn!' atebodd hithau'n siarp.

Gwrandawodd ar y merched yn gorlefaru yn ôl eu harfer dan orchymyn y Difa. Câi Janine drafferth i dynnu'r wynebau y siarsiodd y Difa arnyn nhw i'w gwneud. Edrychai fel cwningen mewn poen ar ôl cael ei tharo gan gar.

'Perffaith!' meddai Glyn yn frwd a chlapio i ategu ei werthfawrogiad o'r perfformiad.

Ond nid oedd modd cuddio ei awydd i ddianc yn ôl i'r stydi rhag y Difa.

'Shwt *all* e fod yn *berffeth*, Glyn? Do's dim byd yn *berffeth*! Moyn mynd o 'ma wyt ti. Gwed! Gwed beth sy angen 'i newid. Ti *yw* awdurdod y tŷ 'ma ar farddonieth gyfoes,' gwawdiodd.

'Wel, ym...' Dechreuodd feddwl lle gallai feirniadu heb beri gormod o dramgwydd. 'Ychydig bach gormod o bwyslais ar yr "ac" yn y... '

'Beth?' torrodd y Difa ar ei draws yn swta.

'Pawb at y peth y bo,' esgusododd Glyn ei hun yn sydyn.

'Peidwch â chymryd sylw ohono fe,' meddai'r Difa wrth y merched nad oeddynt wedi dangos unrhyw arwydd o gymryd sylw.

''Na fe 'te,' meddai Glyn a diflannu'n ôl i'w stydi cyn i'r Difa allu ei rwystro.

★

Byseddodd glo'r *briefcase* yn annwyl. Ni châi hi drwyna yn hwn. Câi lonydd i chwysu dros ei nofel yn y Steddfod, a'i chuddio dan glo yr eiliad y glaniai'r Difa yn ei hôl ar ôl bod yn chwilota'r maes am wynebau pwysigion.

'Y deledu!' cyhoeddodd y Difa o'r lolfa. 'Wyt ti wedi'i rhoi hi mewn?'

T-t-teledu, sgrechiodd Glyn yn ei ben: ni allai ddioddef clywed y treiglad y mynnai'r Difa ei roi ar ddechrau'r gair bob un tro fel pe bai hi'n gwybod yn iawn fod y peth yn mynd o dan ei groen. *Gwrywaidd* yw teledu! pregethai wrthi heb agor ei geg. Y teledu *hwn*! Nid y deledu *hon*!

'Iawn,' galwodd yn ôl arni ond roedd y merched wedi bwrw i mewn i leoedd Alan Llwyd unwaith eto.

Roedd hi'n hen bryd i'r ymarfer ddod i ben, meddyliodd, ac yntau angen dweud wrthi am Llion. Ni châi'r bachgen ddianc rhag cosb ac yntau wedi torri gên y bachan Rich 'na. Arswydodd Glyn wrth feddwl nad ar chwarae bach roedd e'n mynd i aros allan o garchar. Fe fu'n ddigon call i ofyn am gyngor cyfreithiol, do, er nad oedd ei gallrwydd wedi ymestyn hyd at wneud yn siŵr fod ganddo ddigon o arian wrth gefn i allu talu amdano. Ond y flaenoriaeth oedd gwneud yn siŵr fod Llion yn cael cadw ei draed yn rhydd: byddai'r Difa'n gytûn ag ef yn hynny o beth. Sut ddiawl oedd e'n mynd i ddweud wrthi? Clywodd hi'n bytheirio ar y merched yn y lolfa.

'Oes rhaid i ni neud e eto?' daeth llais cwynfanllyd Siân i'w glustiau. Roedd y parti'n dechrau gwrthryfela.

'O's!' gorchmynnodd y Difa. 'Nes cewch chi fe'n iawn. 'So'r llefaru nes dydd Gwener, wedyn fe gewn ni ymarfer cyn y gystadleueth ym Maes Ec fore dydd Gwener. Neb i anghofio. Nawr te, unwaith eto drwy'r cerdd dant...'

'Beth yw Maes Ec?' clywodd Glyn lais Janine yn holi.

'Ec am Carafanne, Janine. Pa mor amlwg sy rhaid iddo fe fod? Nefoedd fawr,' taranai'r Difa, 'gelen i fwy o sens 'da plant bach Blwyddyn Dau!'

'Fi'n ffili dod yn y bore, bore dydd Gwener,' meddai Janine. 'Mam fi'n gweitho.'

'Ma siŵr o fod lle 'da rhywun arall,' datganodd y Difa. 'Un ohonoch chi? Siân? Ma car mawr 'da dy fam.'

'Fi'n ffed-yp eniwê,' cwynodd Janine. 'Ni wedi bod yn practeiso ers orie. Fi moyn cino.'

'Un Waith 'To!' gorchmynnodd y Difa.

'*No way!*' cyhoeddodd Janine, wedi cyrraedd y pen. 'Fi ddim yn neud e eto. Fi ddim yn sbendo dydd Sadwrn fi i gyd yn sbowto crap man 'yn.'

'Beth am 'yn amser *i*, Janine? Ma pethe gwell 'da fi i neud na… '

'Cerwch i neud nhw 'te, yn lle'n bosan ni.'

Y niferoedd, Dilys! Cofia'r niferoedd, meddai Glyn wrtho'i hun yn y stydi. Wyt ti heb Tracy, colla di Janine a fydd 'da ti ddim parti.

'Un waith… ' Roedd y Difa'n colli'r frwydr. Gallai glywed y merched yn dechrau hel eu traed. 'Iawn! Gadawn ni hi fyl'na am heddi 'te,' cyhoeddodd y Difa'n awdurdodol yn union fel pe bai hi ei hun wedi dewis hynny. 'Dydd Llun, cerdd dant, hanner awr wedi wyth, y Stiwdio ar y Maes. Wedyn llefaru, mynedfa Maes Ec am ddeg dydd Gwener ar y dot. Ewn ni drwyddo fe eto amser 'ny.'

Pa fodd y cwympodd y cedyrn?

Clywodd Glyn y criw'n gadael, yn dawedog yn eu buddugoliaeth o beidio gorfod mynd drwy'r darnau unwaith eto fyth. Caeodd y Difa'r drws arnynt. Drwy'r drws cilagored, cafodd Glyn gip arni'n anelu am y gegin.

'Philistiaid!' tasgodd wrthi ei hun a chau ei gwefusau'n dynn, dynn.

Fe gadwai newyddion Llion am y tro, barnodd Glyn.

4

'Yrra i,' datganodd y Difa ac anelu am ddrws y gyrrwr. Roedd noson o gwsg wedi gwneud y byd o les iddi a'r ymarfer a'i ddiwedd anffodus bellach yn angof. Taflodd Glyn un cipolwg olaf dros y towbar cyn cymryd ei le wrth ei hochr ac estyn yr allweddi iddi. Bob tro y dôi gwynt rhagbrofion i'w ffroenau i gynnau'r adrenalin, y Difa fyddai'n gyrru, fel pe bai arni hi ofn i Glyn ddilyn rhyw drywydd arall a'u harwain nhw ar ddisberod ymhell bell o faes yr Eisteddfod a'i fil ddeniadau.

Roedd hi wedi bwrw ei threm dros y garafán y noson cynt, wedi archwilio cynnwys y ffrij a gwaith gwnïo ei gŵr ar yr adlen, ac wedi rhedeg ei bys dros y ffinish pren, ac roedd yntau wedi cael saith allan o ddeg ganddi am ei ymdrechion. Syrthiodd yn fyr o 'A' serennog am iddo fod braidd yn grintachlyd wrth siopa bwyd, ac yn llawer rhy afrad wrth siopa gwin. 'Deuddeg potel!' ebychasai'r Difa. 'Gobeitho bo ti ddim yn meddwl mai un sesh fawr fydd wthnos 'ma!'

'Fe gadwan,' atebodd Glyn hi a'i hatgoffa fod hanner bois ei gôr wedi glanio yn yr adlen y llynedd ar y noson ola, a'u dogn gwin wedi dod i ben cyn un ar ddeg pan aeth Twm Bas ar sgowt i'w babell a charafáns rhai o'r lleill i weld sawl potel arall gaen nhw afael arnynt.

'Roth 'ny ddim stop arnoch chi,' atebodd y Difa'n swta.

Nawr, a hwythau ar eu ffordd, roedd hwyliau'r Difa'n cyhwfan wrth iddi fynd drwy'r rhestr o ddramâu, darlithoedd, cyngherddau a chyfarfodydd roedd hi'n bwriadu eu mynychu ar y maes a chyda'r nosau. Wythnos i fi a Dafydd, cysurodd Glyn ei hun. Câi lonydd i blotio a rhoi'r bennod gyntaf ar bapur. Erbyn Eisteddfod Glynebwy (roedd ei enw arni'n barod!) byddai'r nofel wedi'i chyhoeddi, gyda lwc, a gallai gerdded y maes yn ei siwt olau'n derbyn clodydd mawrion y genedl am ei orchestwaith llenyddol ac ehangder ei weledigaeth…

'Gofiest ti am y papur tŷ bach?' holodd y Difa.

'Ma 'na siop ar y maes carafanne,' meddai Glyn, gan lyncu ei boer.

Estynnodd ei law at y radio i foddi ei beirniadaeth o ddewis y Steddfod o feirniaid, ond ysgubodd y Difa hi o'r ffordd, heb darfu ar rediad ei haraith.

'Ma rhywun yn disgwyl rhywfaint o safon yn y Genedlaethol, ond wir, ma 'da fi fwy o glem yn 'y mys bach na sy 'da rhei o'r beirnied 'na!'

'Falle fydd Oedfa'r Bore mla'n…' ceisiodd ei darbwyllo.

'Ma honno wedi hen fennu, Glyn bach! Os bydde'r merched dwl 'na wedi gallu ymarfer echdo', fydden ni wedi gallu mynd lan ddo, a bod yn Oedfa'r Bore fel y'n ni wedi bod bob blwyddyn. Ond beth 'nei di?'

'Safiwn ni bach o arian wrth golli dau ddwrnod,' ceisiodd ymresymu â hi rhag iddi syrthio'n ôl i hwyliau drwg y prynhawn cynt.

'Pwy ishe safio arian sy?'

'Wel, y delyn newydd yn un peth,' a chyfreithiwr Llion yn ail, ychwanegodd wrtho'i hun.

'Paid â siarad drwy dy hat! Sai moyn telyn newydd.'

'Ond y sownd-bôrd, *ti* wedodd… '

'Natur o'dd 'na. 'So tant yn torri'n gweud bod y sownd-bôrd wedi mynd yn ffŷt. Colli'n natur 'nes i ddo achos bo ti'n ffysan fel hen fenyw, a'r merched 'na'n pallu'n lân â chanu'n iawn. Ma blynydde ar ôl yn y delyn. 'So ti'n dyall dim!'

Ac aeth ati i ailafael yn hwyl ei phregeth am feirniaid na wyddent ddim oll am ddim byd, fwy nag yntau. Ceisiodd Glyn droi radio ymlaen yn ei ben i siarad drosti, ond dim ond un rhaglen oedd ar honno: rhaglen Llion. Pryd a sut ddiawl oedd dweud wrth y Difa bod eu hannwyl fab yn wynebu achos o GBH? Doedd hi ddim wedi gofyn ar ba berwyl y bu Llion draw y diwrnod cynt – a phe bai hi'n cofio gofyn, beth yn y byd ddwedai e wrthi? Osgôdd godi'r pwnc pan oedd hi mewn hwyliau diawledig ddoe, a nawr, roedd e'n osgoi'r pwnc am ei bod hi mewn hwyliau da. Byddai dweud wrthi nawr yn sbwylio wythnos y Steddfod iddi hi ac iddo yntau, barnodd. Ond byddai'r Difa'n bownd o glywed o rywle. Gweddïodd na fyddai neb oedd yn gyfarwydd â hynt a helynt tafarndai'r dre yn anelu ei drwyn am y Bala. Sut yn y byd oedd rhoi siwgwr ar y bilsen? 'Ma Llion o fla'n 'i well mewn rhei wthnose, ond ma 'dag e gyfreithwr gwerth 'i halen, eith e byth lawr.' Na. 'Ma Llion mewn bach o ddŵr po'th am ffeito, ond ma fe'n dod mas ohoni.' Na, dweud y gwir plaen, neu *waeth* na'r gwir plaen. Ac wedyn, os na ddôi'r gwaetha, câi'r Difa ollyngdod. 'Dilys, ma Llion Hedd yn mynd i'r jêl.'

Ond cyn iddo gael cyfle i roi'r syniad hwnnw o'r neilltu eto, roedd y car yn arafu, a'r Difa wedi gweld rhywbeth, rhywun, rhywrai, ar ochr y ffordd...

'Jiw, jiw!' meddai'n llawn rhyfeddod wrth eu pasio. 'Ddim Heulwen a Dan o'dd rheina?'

Safai'r ddau wrth y BMW lliw arian, Heulwen yn pwyso'n erbyn drws y gyrrwr a'i breichiau ymhleth a Dan yn siarad â'r bachan â'i ben dan y bonet. Roedd lorri towio ac enw garej yn y dre arni wedi'i pharcio o flaen y BMW yn y *lay-by*.

'Paid stopo,' meddai Glyn. 'Ddim nhw o'n nhw.' Roedd y Difa wedi gyrru rhai metrau heibio iddynt, ond roedd hi wedi arafu nes bron â stopio. 'Dilys!' meddai Glyn eto. 'Eith rwbeth mewn i dy ben-ôl di, paid â stopo!'

'Do's dim byd tu ôl i fi. 'Wy'n siŵr mai nhw o'n nhw.'

'Ddim nhw o'n nhw, cere'n dy fla'n!'

Baciodd y Difa'r car yn ôl yn araf gan ei anwybyddu'n llwyr. Tynnodd y car i mewn o flaen y BMW.

''Wy'n siŵr nad nhw y'n nhw... '

'A winne'n siŵr mai 'te!'

Yn nrych ochr y car gwelai Glyn fod Heulwen yn cerdded tuag atynt.

'Ma Heulwen yn beirniadu'r Goron fory!' meddai'r Difa wrtho heb allu cuddio'i llawenydd. Agorodd ddrws y car a mynd allan i gyfarch yr hybarch feirniad. Arhosodd Glyn yn y car ac anadlu'n drwm, gan eu gwylio yn ei ddrych. Daeth llais y Difa tuag ato.

'Glyn! Dere 'ma! Nhw *y'n* nhw!' Agorodd Glyn y drws. 'O'dd Glyn ddim yn credu mai chi o'ch chi.' Trodd ato. 'Glyn! Fydd ishe shiffto'r cesys yn y cefen i'r garafán, a phethe o'r bŵt hefyd. Ma car Heulwen a Dan wedi torri i lawr. Gewn nhw ddod lan i'r Bala 'da ni.'

Daeth Glyn tuag atynt, a gwên wedi'i phastio ar ei wyneb.

'Heulwen!' meddai. 'Faint sy?' Ac yntau'n gwybod i'r diwrnod faint oedd.

'Bron chwartar canrif, ma'n siŵr,' atebodd Heulwen, a hithau'n gwybod i'r diwrnod hefyd.

'Ma'n rhaid,' meddai'r Difa. 'Wel, am lwc bo ni'n paso!'

Heulwen! A Dan hefyd, wrth gwrs.

5

Daliodd Heulwen yr olwg o ddiflastod ar wyneb Dan tra siaradai â dyn y garej wrth iddo orfod dewis rhwng dilyn y car i'r garej yn Aberystwyth – heb sicrwydd o fath yn y byd y câi ei drwsio cyn prynhawn fory – a derbyn cymwynas y ddau 'ma oedd wedi glanio i gynnig eu cario i'r Bala. Doedd y penderfyniad ddim yn un anodd iddi hi: roedd yn rhaid iddi gyrraedd y Bala rywsut a dyna fo.

Cofiai Heulwen Glyn a Dilys Edwards yn glir, a chofiodd hefyd sut roedd Dan yn arfer bod wrth ei fodd yng nghwmni'r ddau er mwyn ychwanegu at ei storfa o bethau i'w dweud yn eu cefnau. Roedd ei ddynwarediad ohoni hi, Dilys, wedi bod yn destun sbort i'r ddau ym mhreifatrwydd eu cartref lawer gwaith: ei ffordd o gario'i chorpws sylweddol fel pe bai hi'n llong, os nad yn llynges; ei harfer o siarad o waelod ei gwddf fel pe bai hynny'n rhoi *gravitas* iddi, er na fyddai gan Dilys ei hun unrhyw syniad be oedd ystyr y gair; ei sylw unllygeidiog i faterion eisteddfodol uwchlaw pob dim arall yn y byd yn grwn.

Hi oedd yng ngofal yr Aelwyd er bod y plant yn fach ganddi. Diau iddi eu magu o'r crud yng nghrefft gosod cerdd dant. Cofiodd Heulwen amdani'n ceisio'u cymell nhw eu dau i ymuno â chôr o rai hŷn ar gyfer y Genedlaethol yn rhywle neu'i gilydd, a Dan yn ebychu – allan o'i chlyw, wrth gwrs – y buasai'n well ganddo fwyta'i droed chwith i swper na chystadlu mewn unrhyw gôr, lai fyth un o dan arweiniad Dilys Edwards. 'Mae traddodiad llenyddol Cymru'n wych y tu mewn i gloriau llyfrau,' meddai Dan bryd hynny, 'heb fynd i'w adrodd e na'i ganu fe.' Tueddai Heulwen i gytuno ar y pryd – erbyn heddiw, doedd ganddi ddim barn y naill ffordd neu'r llall.

A Glyn wedyn. Rhyw biblyn bach tila yng nghysgod ei wraig fu hwnnw erioed. Dim drwg yn perthyn iddo, mae'n wir, na dim byd arall chwaith. Athro Cymraeg bach di-sbarc, o be gofiai hi, a ddilynai Dilys i bob man fel pwdl. Pe bai hi wedi dod i'w nabod yn well pan oedd hi a Dan yn byw yn Rhydarian, efallai y byddai wedi dod i weld bod yna fwy i'r dyn. Ond dyna fo, nid felly y digwyddodd pethau.

Wrth iddi wylio'r ddau'n cario cesys o gefn y car i'w carafán cyn i'r BMW gael ei lusgo i'r garej, teimlodd Heulwen y cyffyrddiad lleiaf o edifeirwch am feddwl fel hyn am y ddau – a hwythau wedi stopio wrth eu gweld mewn trafferthion ac wedi bod mor barod eu cymwynas.

'Diolch…' dechreuodd Heulwen yn euog, gan hofran yn ansicr heb wybod sut i helpu.

★

'Dwi ddim isie i ti fynd dy hunan,' meddai Dan wrthi bythefnos ynghynt pan gyrhaeddodd hi adref o'r coleg ac estyn *Rhaglen y Dydd* gyda'r bwriad o lunio amserlen iddi hi ei hun.

'Ond dwyt ti ddim isio dod,' meddai hithau heb edrych arno.

'Dwi ddim isie i ti fynd dy hunan,' ailadroddodd Dan heb godi ei lais.

Dyma'r pwll tro roedden nhw wedi cydfodoli ynddo ers chwarter canrif. Troi o gwmpas ei gilydd fel dau wybedyn am garcas, un yn mynd y ffordd yma, a'r llall y ffordd arall, ond yr un o'r ddau'n gallu tynnu ei hun yn llwyr allan o sbin y trobwll chwaith. Be oedd y glud anweladwy a'u cadwai'n gaeth i'w gilydd ac yn y pwll? Gwyddai Heulwen yr ateb, a chystwyodd ei hun am ofyn y cwestiwn iddi hi ei hun.

Teimlodd ei lludded unwaith eto fel tunnell o blwm yn ei choesau. Rhyfedd pa mor gorfforol roedd diflastod emosiynol yn gallu bod. Y gamp – ei champ – oedd ei guddio rhag y llygaid ar y tu allan.

Yn Nhyddewi ar y dydd Gwener, roedd Dan wedi rhoi'r ffidil yn y to wedi'r holl flynyddoedd, ac wedi'r holl ymdrechu hir. Rhoi'r gorau iddi unwaith *eto*, cywirodd Heulwen ei hun – roedd rhoi'r gorau iddi wedi mynd yn arfer iddo. Doedd dim ond cragen ohono ar ôl bellach, ond doedd hi ddim yn gallu teimlo euogrwydd am ei wthio i'r fath gyflwr; doedd hi, wrth gwrs, ddim yn teimlo dim byd heblaw'r plwm yn ei choesau.

Eistedd yn ei hystafell roedd hi, yn edrych dros y feirniadaeth y byddai hi'n ei thraddodi oddi ar lwyfan y Brifwyl, gan newid gair fan yma a fan acw. Anodd oedd troedio'r ffin rhwng bychanu gwaith yn rhy hallt nes bod y bardd – ha! – yn rhoi'r gorau iddi am byth, a rhoi gobaith gwag iddo y dôi ei waith byth yn agos at y dosbarth cyntaf. Roedd darllen y pryddestau a'r cerddi wedi bod yn fwrn ar ei henaid – rhesi o gerddi di-fflach yn dweud yr un peth, yn gorlifo o hen drawiadau o ran prydyddiaeth, syniadaeth ac ymadrodd. Pefriai ambell un, siŵr iawn, ond hyd yn oed yn y goreuon, doedd dim byd wedi'i chyffwrdd hi'n ddwfn. Roedd hi wedi dweud hynny wrth Dan fisoedd ynghynt, ac yntau wedi ateb: 'Falle mai yndot ti ma'r gwendid.' Wnaeth hi ddim meddwl llawer mwy am y peth. Un o dri beirniad oedd hi wedi'r cyfan, ac roedd hi'n gytûn â'r consenswns am yr holl geisiadau, felly be oedd yr ots? Ei lle hi oedd ymarfer crefft beirniadaeth yn oeraidd, wrthrychol.

Daeth Dan i mewn o'r bar, a'i wyneb yn bradychu'r ffaith

iddo yfed peint neu ddau a hithau ond yn ganol y prynhawn. Cynigiodd eu bod yn mynd am dro ar hyd y rhan fach o lwybr yr arfordir a oedd o fewn cyrraedd i'r gwesty.

'Awr fach cyn dachre meddwl am swper,' meddai wrth ei gweld hi ar fin gwrthod. 'Dwi'n gwbod ei bod hi'n groes gra'n 'da ti neud unrhyw beth 'wy'n gofyn amdano, ond 'wy ddim yn ffansïo hala gweddill y dydd yn y bar, na'n styc fan hyn 'da ti, wedyn ma'r cynnig 'na os ti ishe.'

Roedd yr iâ ar ei lais yn anarferol o galed. Efallai mai'r syndod o glywed y fath fin ar ei dafod a wnaeth iddi gytuno i fynd efo fo. Y cwrw'n siarad, siŵr o fod, meddai Heulwen wrthi ei hun. Doedd 'na ddim ffrae wedi bod na dim. Anaml y bydden nhw'n codi llais ar ei gilydd. Go brin y bydden nhw'n siarad â'i gilydd o gwbwl y dyddiau hyn, y tu hwnt i'r dibwys moel. Cilio i'w gragen wnaethai Dan ers hydoedd, gadael iddi fod i wneud fel a fynnai, ac roedd hynny wedi'i siwtio hi'n iawn. Roedd y ffaith iddo fynnu dod i'r Steddfod efo hi wedi bod yn destun rhwystredigaeth ddiamynedd ynddi, ond doedd hynny chwaith ddim yn ei chyffwrdd hi go iawn.

Dilynodd ef ar hyd y llwybr heb gyflymu ei chamau i gydgerdded ag e er bod y llwybr yn hen ddigon llydan.

Edrychodd allan ar y môr mawr llwyd a thonnau gwyn yn brigo drosto. Poerai'r gwynt beth o'i ddiferion i fyny atynt ond doedd ganddi fawr o wahaniaeth a fyddai hi'n gwlychu, ac yn dal annwyd. Clywodd lais Dan yn dweud rhywbeth o'i blaen, ond cipiwyd ei eiriau gan y gwynt cyn iddyn nhw allu cyrraedd yn ôl ati. Ni thrafferthodd ofyn iddo be ddwedodd o.

Ymhen ychydig gamau, ac yntau wedi ceisio ailadrodd yr hyn a ddywedodd, stopiodd a throi ati. Roedd ei wyneb wedi crebachu.

''Wy biti rhoi lan!' hanner gwaeddodd arni, i wneud yn siŵr fod y geiriau'n ei chyrraedd. Ildio. Rhoi'r gorau iddi. Rhoi'r ffidil yn y to. Gorffen. Rhestrodd Heulwen yr amryw o gywiriadau yn ei phen. Ystyriodd frathu ei thafod rhag ei gywiro wrth weld y fath olwg boenus ar ei wyneb. Roedd rhychau ei oed yn dangos yn glir ar ei groen. Roedd ganddi ddewis: gallai groesawu sgwrs agored ag e, chwilio a chwalu drwy eu teimladau ill dau. Neu gallai gau'r drws unwaith eto.

'Idiom Saesneg, Dan. Meddylia am rywbeth gwell yn lle "rhoi lan".'

Cerddodd yn ei blaen heibio iddo a gostwng ei phen i edrych lle roedd hi'n mynd wrth sylwi ar y diferion o'r môr yn gwlychu ei wyneb. Diferion o'r môr, neu rywbeth arall.

Cripiodd Dan ei braich yn wyllt cyn iddi gael cyfle i fynd o'i gyrraedd. Ysgwydodd ei hun yn rhydd o'i afael.

'*That's it*!' clywodd ef yn gweiddi ar ei hôl. '*That is it*!'

Erbyn iddi droi i edrych yn ôl ymhen munudau lawer, gwelai Dan yn smotyn bach ar ddreif y gwesty, ymhell bell oddi wrthi.

★

Roedd o wedi bygwth sawl gwaith o'r blaen, wrth gwrs. Bygwth mynd â'i gadael, a hithau wedi dweud wrtho am fynd, wedi'i wynebu fel carreg fedd a'i annog i gerdded drwy'r drws. 'Dos 'ta!' Ac yntau wedyn wedi cadw'n ddistaw am oriau, dyddiau, yn llyfu ei glwyfau ar ei ben ei hun, cyn llithro 'nôl i fywyd arferol, a chyfathrebu normal. Fel y bydd cyplau digon iach eu perthynas yn ei wneud o dro i dro.

Y gwahaniaeth yn eu hachos nhw oedd nad oedd ganddi hi'r rhithyn lleiaf o ots y dyddiau hyn pa un a fyddai e'n ei gadael ai peidio. Roedd bod ag ots yn golygu bod ynddi deimlad, ac a bod yn hollol onest â hi ei hun, gwyddai'n iawn nad oedd ganddi ddim. Byddai iddo adael yn newid y patrwm, yn gwneud iddi gydnabod shifft yng nghyflwr ei realiti – ac efallai'n dod â theimlad yn ôl i'w chalon ddiffrwyth.

Ond doedd Dan erioed wedi mynd mor bell â'i gadael.

Ceisiodd Heulwen ddyfalu be fyddai'n gwneud iddo newid arfer y blynyddoedd a cherdded allan o'i bywyd. Byddai hynny'n rhyw lun o dorri ar y cylchu diddiwedd o gwmpas ei gilydd o leia. A ddylai hi ymateb yn wahanol pan ddôi ei fygythiad? A ddylai hi ddisgyn ar ei gliniau ac erfyn arno i aros, dweud wrtho na allai hi fyw hebddo? Ai hynny, mewn rhyw afresymeg gwyrdroadwy, fyddai'n gwneud iddo fynd o'r diwedd? Er y gwyddai y gallai hi actio'r rhan gystal â neb, roedd i hynny ei beryglon hefyd. Nid mynd fyddai ei ymateb, siŵr iawn.

Doedd ganddi hi, felly, ddim ffordd allan o'r cylch.

Roedd o wedi mynnu eu bod yn mynd i sir Benfro am ddeuddydd neu dri cyn cychwyn am y Bala. Doedd ganddi hi ddim egni i wrthod. Waeth iddi Dyddewi fwy nag adra a dim gwaith yn ei galw oddi yno.

'Newid gwynt i ni,' meddai Dan gan ddangos *brochure* bach y gwesty. Wnaeth hithau ddim anghytuno na chytuno, a derbyniodd Dan ei thawedogrwydd fel cytundeb.

Ar i waered roedd hi'n mynd, gwyddai hynny bach. Doedd hi ddim yn gwbl anymwybodol o'r cyfeiriad roedd y gwynt yn chwythu. Gwyddai hefyd fod pob tro yr âi hi i'r cyfeiriad hwnnw'n dweud yn waeth ar Dan. Wedi'r holl flynyddoedd, pob awgrym o wella cyn llithro wysg eu cefnau unwaith eto... roedd 'na ran ohoni'n holi ei hun am ba hyd *fedrai* Dan ddal ati. A pho isa yr âi hi, lleia i gyd o ddiddordeb oedd ganddi yn yr hyn a wnâi Dan.

Eu trasiedi nhw, ystyriodd Heulwen – nid am y tro cynta – oedd na fyddai hi byth yn cyrraedd y gwaelod yn llwyr; doedd hi ddim yn gallu torri. Pe câi ymollwng i wallgofrwydd a chael gofal ysbyty, meddyginiaeth a therapyddion proffesiynol, torri'n allanol yn ogystal ag yn fewnol, yna efallai y byddai modd gwella'n iawn. Ar adegau, fe'i câi ei hun yn dyheu am gael torri'n rhacs.

A thrwy'r cyfan, ers cyhyd, roedd hi wedi dod yn feistres ar bapuro dros bob dim a ddigwyddai rhyngddi a Dan, pob diffyg deall y tu ôl i bedair wal eu cartref, a chuddio'r cyfan rhag y tu allan, rhag ei chyd-ddarlithwyr, rhag llygad y camera, rhag gweddill Cymru. Synnai hi ei hun at ei gallu i wneud hynny – neu at anallu cyd-weithwyr a chyfeillion honedig i weld ymhellach na'u trwynau.

Wrth wylio Dan yn y pellter yn cerdded i mewn i'r gwesty, gofynnodd iddi hi ei hun am ba hyd y byddai'n dal ati fel ci ac asgwrn at weddillion unrhyw beth a fu rhyngddynt erioed.

★

Roedd y BMW wedi bod yn peswch ers Llanrhystud, ond daeth ato'i hun yn ddigon da wrth fynd drwy Aberystwyth i Dan fentro meddwl na fyddai angen garej arno rhwng y fan honno a'r Bala, felly mi fwriodd yn ei flaen. Ond graddol dagu i stop wnaeth y car ymhen cwta bymtheg milltir yng nghanol nunlle.

Ni fu fawr o siarad rhyngddynt ers dydd Gwener. Llwyddasant, y ddau fel ei gilydd, i fynd drwy fosiwns eu diwrnod ddoe, heb i'r naill na'r llall yngan gair yn fwy na be oedd ei angen i gydfodoli yn yr un lle. A bu'r daith o Dyddewi'n dawedog, a'r mudandod yn cloi'r ddau yn eu celloedd eu hunain o fewn y car.

Roedden nhw wedi gyrru drwy Rydarian, ond chymerodd Heulwen fawr o sylw o'r lle, ac roedd Dan yn poeni gormod am gyflwr y car i edrych allan ar y pentref. Wnaeth o ddim cynnig troi i'r dde er mwyn mynd heibio'r hen dŷ, diolch i'r mawredd. Roedd 'na wayw bach dieithr o ofn wedi cydio yn Heulwen ers dechrau'r daith y byddai Dan yn awgrymu gwneud hynny. Diolch byth am drafferthion y car i symud hynny oddi ar ei feddwl, meddyliodd Heulwen.

Llwyddodd Dan i dynnu'r car i mewn i *lay-by* cyn i'r injan roi'r gorau iddi'n llwyr. Gwasgodd y botymau ar ei fobeil i ffonio am rif garej yn Aberystwyth, cyn ffonio'r truan a weithiai yno i'w godi o'i wely ar fore dydd Sul.

Pwysai Heulwen ei braich ar ymyl y drws a'i llaw'n dal ei thalcen.

'Gawn ni weld be sy'n bod arno fe gynta,' meddai Dan. 'Falle'i fod e'n rhywbeth syml allan nhw ei drwsio wrth i ni ga'l cino yn Aber.'

Nid atebodd Heulwen. Gwyddai y câi ryw ffordd o gyrraedd y Bala cyn fory hyd yn oed pe bai rhaid talu am dacsi. Gadawodd i Dan siarad â dyn y garej pan gyrhaeddodd hwnnw yn ei fan. Pan ddaeth i mewn i'r car i geisio tanio'r injan, aeth hithau allan rhag iddo ddechrau cynnal sgwrs â hi.

Ac ymhen munudau, roedd Glyn a Dilys wedi stopio, ac wedi cynnig pàs i'r Bala.

Ar amrantiad, wrth weld Dilys yn dod allan o'r car a'r garafán wrth ei chwt, gwisgodd Heulwen ei gwên ar ei gwefusau, sythodd ei hysgwyddau, ac aeth draw i'w chyfarch.

6

Daliai Dan i geisio cael dyn y garej i roi ei air y byddai'r
car yn barod cyn gynted â phosib, tra symudai Glyn
y geriach o gefn y car a'r bŵt i'r garafán. Roedd y BMW
bellach ar gefn fan y garej.

'Ddim ffordd yma 'dan ni'n arfar dod,' meddai Heulwen, a
safai rhwng eu cesys nhw a golwg ar goll braidd arni.

Roedd Glyn wedi sylwi ar y dillad lliain drud lliw
lelog a hufen a orchuddiai gorff main Heulwen, pob darn
yn cydweddu'n chwaethus â'i gilydd: y sgert a'r gwaelod
ar letraws wedi'i dorri'n ofalus fel ei fod yn cusanu un o'i
phigyrnau ac yn datgelu'r llall, y flows a'i phletiadau bychain
fel maneg am ei bronnau a'i chanol a'r wasgod fechan dwt
drosti'n we o frodwaith lliwgar a asiai'n berffaith â lliwiau'r
sgert a'r flows. Gwisgai dlws mawr arian a lelog am ei gwddw
a llithrai cudynnau melyn o'i gwallt drosto wrth iddi symud.
Edrychai'n iau nag a wnâi pan welodd hi ddiwethaf a synnodd
Glyn yn ddistaw bach at amhosibilrwydd hynny. Cawsai gip
sydyn arni ddwywaith neu dair ar feysydd Eisteddfodau dros
y blynyddoedd diwethaf, ond prin y sylwodd yn iawn arni'r
troeon hynny, gan iddo droi ar ei sawdl i'w hosgoi bob tro.
Taflodd gipolwg i'w chyfeiriad eto wrth gau'r bŵt ar y cesys a
sicrhau bod drws y garafán wedi'i gloi'n dynn ar ei geriach ef
a'r Difa. Llwyddai'r colur i wneud iddi edrych ugain mlynedd
yn iau, meddyliodd Glyn, ac roedd hi wedi'i ddefnyddio'n
chwaethus, nid yn y modd swish-swosh a welsai'r Difa'n
coluro nes gwneud iddi edrych yn fwy o glown nag oedd hi.
Roedd safon i golur a dillad Heulwen, ei gwallt wedi'i dorri'n
ofalus, a'i chorff yn lluniaidd. Ymdrech − ac arian, yn ddiau.

Ond pe bai'r Difa wedi defnyddio'r un ymdrech a'r un arian, ni wnâi iot o wahaniaeth i'r ffordd yr edrychai. Byddai maint ei phen-ôl yn dal yr un mor fawr.

'Wedi bod am benwsnos yn sir Benfro 'dan ni,' eglurodd Heulwen ymhellach. 'A dod ffordd yma i'r Bala.'

'Wthnos fishi o dy fla'n di,' gwenodd y Difa'n rhy llydan. 'Beth nele'r Steddfod heb feirniad y Goron?'

''Dach chi'n siŵr nad ydi hyn yn drafferth...?' dechreuodd Heulwen.

'Trafferth, wir!' trwmpedodd y Difa. 'Pleser, Heulwen! Pleser pur!'

Ac mae hi'n ei feddwl, meddyliodd Glyn wrtho'i hun. Pa bluen well yn ei het na chael dweud wrth bawb a welai ar y maes fory iddi achub beirniad y Goron o dwll a chael ei chwmni ar hyd y daith i'r Bala. Hebddi hi, Dilys Edwards, ni fyddai modd cynnal cystadleuaeth y Goron yn wir, a'r prif feirniad wedi'i hatal gan amgylchiadau rhag mynychu.

'Neida i fewn, Heulwen,' gorchmynnodd y Difa gan agor drws y pasenjyr iddi.

Agorodd Heulwen ddrws cefn y car i Dan gan sibrwd rhywbeth yn sydyn a siarp wrtho o dan ei gwynt. Aeth Dan i mewn, ac anelodd Heulwen i'w ddilyn.

'Na, na!' gwaeddodd y Difa. 'Geith Glyn fynd i'r cefen, dere di – neu Dan – tu bla'n!'

'Dim o gwbwl,' meddai Heulwen gan blygu ei phen a mynd i mewn ac eistedd yn y sedd gefn. Gwelodd Glyn ddyfnder y siom yn llygaid y Difa na châi gwmni anrhydeddus Heulwen gyda hi yn y tu blaen. Dechreuodd deimlo rhyw fymryn bach o drueni drosti.

'Tria fod yn sifil!' hisiodd y Difa wrtho.

Cymerodd Glyn ei le wrth ochr y Difa a defnyddiodd hithau ei drych yn dra gofalus i dynnu'r car yn ôl ar y ffordd heb beryglu ei chargo gwerthfawr.

''Dan ni'n ddiolchgar iawn iawn, y ddau ohonan ni,' meddai Heulwen gan bwysleisio'r ddau 'iawn'. 'Be naethan ni hebddyn nhw, yndê Dan?'

Trwy gornel ei lygaid, gwelodd Glyn fod Dan y tu ôl i sedd y Difa yn troi ei ben i edrych allan drwy'r ffenest.

'Beth nele'r Steddfod heb 'i pherson pwysica?' gofynnodd y Difa a'i llais yn llawn cynnwrf. 'Ma'n siŵr bo 'da ti lond berfa o ddarlithie ac areithie a chyfweliade o dy fla'n di, heb sôn am y Goron fory!'

'Ddim yn rhy ddrwg,' atebodd Heulwen. 'Darlith yn y Babell Lên yn y bora, y Goron yn pnawn, cyfweliad hefo'r Bi-Bi-Ec fora Mawrth, y Pagoda bnawn dydd Mercher, Bi-Bi-Ec dydd Iau a nos Wener, a rhyw un neu ddau o betha bach erill.'

'Jiw, jiw! Ma'r Doctor Heulwen Pears wedi mynd yn bell!' meddai'r Difa.

Gwyliasai Glyn ei gyrfa o bell, neu'n hytrach ei lled-wylio: clywed gair amdani fan hyn, fan draw, cael ei hanes gan y Difa. Fel pili-pala'n blodeuo o'i chwiler, aethai Heulwen o lwyddiant i lwyddiant, o gyfweliad BBC i dudalennau *Golwg* a *Barn*, a chyfrifid hi bellach yn llenor a beirniad llenyddol o bwys. Nid oedd Glyn wedi darllen yr un o'i chyfrolau niferus ond go brin fod neb yng Nghymru ac eithrio llond llaw o academwyr gorawyddus wedi gwneud hynny. Roedd ei llwyddiant a'i henwogrwydd yn sefyll ar wahân i'r cynnyrch llenyddol ei hun, wrth i *Wedi 3* a *Wedi 7* groesawu menyw smart, ffasiynol i'w soffas i drafod yr hyn oedd yn sych mewn modd nad ymddangosai'n sych oddi ar y gwefusau deniadol a'i llefarai. Y Difa oedd cyfrwng gwybodaeth Glyn am hyn oll: ni allai ddioddef gwylio Heulwen ar y bocs, gwrando arni ar Radio Cymru, na darllen ei hysgrifau, nac ysgrifau amdani yn nhudalennau'r cylchgronau a ddôi drwy'r drws. Llwyddasai hefyd yn rhyfeddol i'w hosgoi yn ystod wythnos gyntaf pob Awst. Roedd yr hen Heulwen yn rhy fyw o hyd yn ei feddwl.

Chwerthodd y Doctor Heulwen Pears.

'Dwn i'm am hynny,' meddai'n ostyngedig iawn iawn.

Gwelsai Glyn ei llun ar dudalen flaen *Golwg* rai misoedd ynghynt – doedd hi ddim yn hawdd iawn osgoi'r dudalen flaen. Eitem ar boblogeiddio llenyddiaeth oedd ynddo, er nad agorodd y cylchgrawn i'w ddarllen. Yn y llun, gwisgai ffrog ddu sidanaidd dynn na chuddiai'r un fodfedd o siâp heini ei chorff – corff menyw hanner ei hoed – a'i hwyneb ifanc hardd bron yn ei wawdio: 'run oed â thi, Glyn bach, 'run oed â thi a'r Difa, ond gwêl y gwahaniaeth! Gwenai'n union fel pe bai hi wedi'i geni i fod yn well, yn fythol ifanc, yn barhaol ffodus, yn falchach ohoni'i hun a'i chyflawniadau nag unrhyw un roedd e'n ei nabod. Cofiodd iddo luchio'r cylchgrawn i'r fasged ailgylchu bron heb edrych arno – a'r Difa wedyn yn ei godi o'r fasged i lafoerio'n wasaidd dros y llun… 'Ddim pawb sy'n gallu gweud bo nhw'n nabod Heulwen Pears!'

'Ma'r lle 'ma wedi newid,' canodd y Difa wrth newid yn swnllyd i'r pumed gêr. 'Fyddech chi ddim yn 'i nabod e erbyn hyn!'

'O'n i'n sylwi wrth yrru drwy'r pentra,' meddai Heulwen.

'Saeson yn symud fewn. 'Da'r brifysgol, chi'n gwbod, ond ma rhei ohonyn nhw'n ddigon neis. Hala'u plant i'r ysgol Gymrag.'

'Digwydd ym mhobman, tydi,' meddai Heulwen yn rasol.

Cau dy geg, Dilys, meddai Glyn wrtho'i hun. Sais wedi dysgu Cymraeg yw Dan. Doedd gan y Difa ddim digon yn ei phen i gofio hynny. Cofiai Glyn iddo chwerthin i fyny ei lawes sawl tro yng nghefn Dan pan lithrai ei dafod dros air neu ynganiad mwy lletchwith na'i gilydd.

'Ond ma'r Aelwyd yn dal yn gryf,' ymffrostiodd y Difa er mwyn datgysylltu ei hun oddi wrth unrhyw ddirywiad cymdeithasol-ieithyddol. 'A fe fydd tra ma gwynt yn 'yn ysgyfent i.'

'Da iawn ti, Dilys.'

'Trio 'ngore,' meddai Dilys yn ffug-ostyngedig, gan fethu atal gwên falch yn dilyn y clod o enau'r eilunes.

'Dal i ddysgu wyt ti, Glyn?' holodd Heulwen.

Llyncodd ei boer. 'Am 'y mhechode,' atebodd.

'Bygwth ymddeol yn gynnar, Heulwen. Beth 'nei di? Moyn poetsian 'da rhyw nofele fel 'se fe'n meddwl mai fe yw T. Llew Jones neu Daniel Owen.'

Syllodd Glyn drwy'r ffenest flaen gan ddymuno harten i'r bitsh a eisteddai wrth ei ochr.

'Wel ia!' cofiodd Heulwen. 'Ddarllenish i'r gynta. Diddorol iawn wir.'

Ddim digon diddorol i ti ysgrifennu adolygiad na hyd yn oed roi mensh iddi. 'Be ysbrydolodd chdi i sgwennu am lond tŷ o stiwdants?' Beirniadaeth lenyddol, nid cwestiwn.

'O... ym... cofio... fel roedd hi. Yr un peth yw stiwdents ym mhob o's.' Damio! Am beth twp i'w ddweud. 'Bydd y nesa am Ddafydd ap Gwilym.'

'Oo?' Roedd llais Heulwen yn llawn rhyfeddod a diddordeb.

Pam na allai fod wedi cadw ei geg ar gau?

'Dwed fwy, ma'n swnio'n ddiddorol dros *ben.*'

'Ymchwilio dwi eto, 'na i gyd. Ystyried y posibiliade.'

'Esgus dros fod yn bwdwr,' wfftiodd y Difa. 'Gweld ffordd mas o ddysgu, 'na i gyd.'

'Ma isio mwy o nofela hanesyddol,' meddai Heulwen. 'Cyfrwng i gynyddu ymwybyddiaeth am ein gorffennol ni.' Gallai Glyn fod wedi tagu'r Difa.

'Ges i gip arnot ti yn Steddfod llynedd,' meddai'r Difa ar ôl barnu bod Glyn wedi cael digon o sylw Heulwen am sbel fach. 'A beth ddigwyddodd i'r trefniade neson ni yn y Faenol 05 i gwrdd lan am bryd bach o fwyd?'

'Ia 'nde,' meddai Heulwen heb gynnig unrhyw eglurhad.

'Dreies i siarad 'da ti yn Abertawe 06 ond doth Alan Llwyd ar 'yn traws ni i siarad 'da ti ac erbyn i fi droi rownd o't ti ac e wedi mynd!'

Iesu, gad lonydd i'r fenyw fach, ceryddodd Glyn hi heb agor ei geg.

'Fel 'na gweli di wythnos Steddfod, fawr o drefn ar ddim byd.'

'Beth yw'ch hanes chi'ch dau fach 'te?' holodd y Difa wedyn.

Diolchodd Glyn iddi yn ei ben am newid y pwnc – roedd hi wedi dechrau swnio fel pe bai hi'n cyhuddo Heulwen o'i hosgoi hi'n fwriadol ar feysydd Eisteddfodau'r degawd diwethaf.

'Ni'n gwbod itha tipyn am dy waith di fel darlithydd, llenor a'r pethe cyhoeddus, ond beth am Dan? Yr un gwaith wyt ti'n neud, Dan? Beth o't ti nawr… llyfrgellydd?'

'Na…' ystwyriodd Dan yn anghyffyrddus y tu ôl iddi, yn

amlwg yn hapus yn edrych drwy'r ffenest a gadael y siarad i'r lleill.

'Roth o'r gora i'w swydd pan symudon ni,' eglurodd Heulwen. 'Arlunydd ydi Dan.'

'O?' Gallai Glyn weld cogs meddwl y Difa'n troi: byw oddi ar dy arian di mae e felly, Heulwen, methu dala pwyse'r swydd. Esgus tynnu llunie tra bod ei wraig yn gwneud ei ffortiwn ar y llwyfan cyhoeddus.

'Ma gynno fo arddangosfa o'i lunia mewn oriel wrth 'yn hymyl ni yng Nghaerdydd.'

'Da iawn,' meddai'r Difa. 'Bydd raid i ni ddod lawr i'w gweld hi un o'r diwrnode 'ma.'

Ddim os gallai Glyn help.

'Do'ddet ti fowr o Steddfodreg slawer dydd,' newidiodd y Difa gyfeiriad eto.

'Na,' cyfaddefodd Heulwen. 'Ddim ond yn y deng mlynedd dwetha dwi wedi bod yn mynd, a ddim i bob un o'r rheiny. Mae'n anodd gwrthod gwahoddiada rownd y rîl.'

'Yn enwedig gwahoddiad i feirniadu'r Goron!' meddai'r Difa mewn llais dwfn ffug-gellweirus, crachaidd.

Canodd y ffôn ym mhoced Glyn, gan wneud iddo neidio. Bustachodd i'w dynnu allan heb agor ei wregys. Taflodd y Difa olwg geryddgar i'w gyfeiriad fel pe bai ganddo reolaeth dros bawb a feiddiai ei ffonio.

'Helô?'

'*Pater.*' O'r nefoedd, ddim nawr, Llion!

'Beth ti moyn?'

'Pwy sy 'na?' holodd y Difa.

Anwybyddodd Glyn hi. ''Wy yn y car ar 'yn ffordd i'r Steddfod.' Ceisiodd reoli ei lais rhag y Difa a chynnwys digon o rybudd yn nhôn ei lais i Llion sylweddoli mor anodd oedd siarad.

''So ti'n dreifo! Tyt tyt, *Pater*!' gwawdiodd Llion.

'Nadw... '

'Reit 'te, galli di siarad heb lando yn y cwb am iwso'r mobeil wrth ddreifo.'

'Wel... '

'Cwb. 'Na pam 'wy'n ffono. Fi'n gweld y cyfreithwr 'to fory a s'da fi ddim cinog i roi iddo fe.'

'Bydd rhaid i fi ffono ti 'nôl, Twm, ti'n craco lan.' Ysbrydoledig, canmolodd Glyn ei hun. Pa ryfedd ei fod wedi'i eni i ysgrifennu ffuglen. Llithrig fel slywen, a châi wared ar Llion...

'Ei, ei, ei! Hold on, Defi John! 'So ti'n mynd,' cododd Llion ei lais ar y pen arall.

'Beth 'te?' holodd Glyn.

''Wy'n cymryd bo ti ddim wedi gweud wrth y Difa.'

'Ddim 'to...'

'Pryd ga i wynt yr arian 'na?'

Sut ar wyneb daear mae ateb, meddyliodd Glyn.

'*Pater*?' gwasgai Llion.

'Fydd dim o'i ishe fe arnot ti fory. Gei di fe pan – ti'mbo, pan ddaw e yn y post.'

'Pan ddaw beth yn y post?' holodd y Difa a'i chwilfrydedd yn gwneud iddi dynnu ei llygaid oddi ar y ffordd.

'Copi darn y côr,' atebodd Glyn.

'Beth yffach ti'n siarad ambutu?' gofynnodd Llion yn ei glust.

'Darn y côr,' atebodd Glyn yn wan. 'Fe ddaw e yn y post.' Tria ddeall, Llion!

'Darn y côr…?' Teimlai fel oes i Glyn tra troai cogs meddwl Llion. 'Y bil ti'n feddwl…?'

'Ie, ie – y darn. "Pan Fyddo'r Nos yn Hir", 'na ti, fel wedest ti. Gei di fe amser 'ny.'

'Gweda wrthi er mwyn y nefodd,' meddai Llion.

'Ddim 'to… ' dechreuodd Glyn.

'Ofan hi, wyt ti?' holodd ei fab.

'Ie. Ma hi bach yn anodd…'

'*Bach* yn anodd! Ma hi'n ffacin amhosib! Ond ti briododd hi.'

'I beth ma ishe posto'r darn iddo fe? Fydd e lan 'i hunan cyn diwedd yr wthnos,' wfftiodd y Difa.

'Ma fe wedi colli'i gopi, a sdim un 'da neb arall o'r côr.' Arglwydd, roedd hyn yn waith caled.

''Wy'n meddwl 'i ffeito fe,' meddai Llion wedyn.

'*Beth?*' ffrwydrodd Glyn. Am ffeito roedd e yn y trafferth 'ma yn y lle cynta.

'Ffeito'r *achos, Pater.*'

'O.'

'*Diminished responsibility*. Ma'r bachan yn hala colled arno fi – dim 'y mai i yw 'ny.'

'Iechyd!' ebychodd Glyn er ei waethaf.

'Doth e fewn i'r pyb yn goc i gyd a dechre mynd mla'n a mla'n ambutu rhyw wylie ponsi gafon nhw. Blydi Barbados, os gweli di'n dda! Rhwbio 'nhrwyn i yn y cachu. 'Se wa'th iddo fe fod wedi *gofyn* am ddyrnad. Shwt o'n i fod i ddala 'nôl.'

'Beth am…?' Tawodd Glyn. Sut oedd gofyn i'w fab am Nia?

'Beth am beth?'

'Pwy.'

'Pwy?'

'Ie... honna...'

'Rhian?'

'Nage... y llall.'

'Nia?'

'Ie.' Anadlodd Glyn yn ddwfn. 'Beth ma hi'n feddwl...?'

Am 'i phartner yn dyrnu cariad merch arall am 'i fod e'n dala mewn cariad â'r ferch honno. '*For fuck's sakes, Pater!* Bimbo yw honno. Ti'n siarad 'da hi ambutu Gordon Brown a ma hi'n meddwl mai cynnig jin iddi wyt ti. 'So hi'n gwbod y gwa'nieth rhwng sbanyr a *spatula*, na rhwng Barack Obama ac Osama bin Laden. Ti'n gofyn iddi bosto enfilop a ma hi'n edrych arnot ti fel 'set ti'n dod o Mars. *Correction.* Ma hi'n meddwl mai rwbeth ti'n fyta yw Mars.'

'Rhwbeth ti'n fyta *yw* Mars,' meddai Glyn cyn gallu stopio'i hun.

Saethodd y Difa olwg ryfedd ato. 'OK OK... iawn. 'Na di fel 'yt ti'n gweld ore, Twm.'

'Osgoi mynd i'r cwb, 'na fel 'yf fi'n gweld ore.'

'A finne.'

'Falch o glywed,' meddai Llion. 'Ond gweda wrthi Hi jyst rhag ofan. Iddi ga'l 'i ffeilo fe dan bethe i beido sôn amdanyn nhw wrth y Steddfod-types ma hi'n micso yn 'u canol nhw. Neu rhod e lawr ar bishyn o bapur iddi os yw 'ny'n rhwyddach. Gallith hi'i osod e i gerdd dant.'

'God!' ebychodd Glyn, cyn taflu edrychiad o ymddiheuriad at y Difa.

'"Mae'r llencyn yn y jêl",' canodd Llion ar yr ochr arall.

'Paid.'

'"Mae rhywun yn y carchar droston ni",' newidiodd Llion ei diwn.

'Twm, 'wy'n mynd, ti'n craco lan.'

'Odw,' meddai Llion yn ddiflas. 'A paid â galw fi'n Twm.'

Diffoddodd Glyn ei ffôn.

'Beth o'dd 'na ambutu Mars?' holodd y Difa.

'Twm!' ebychodd Glyn, gan obeithio bod hynny bach yn ddigon o eglurhad iddi.

'Bach o idiot,' eglurodd y Difa ymhellach wrth y ddau yn y sedd gefn.

★

'Ma bownd o fod chwarter canrif,' meddai hi ar ôl rhyw dawelwch bach anghysurus. 'Ers... chi'mbo. O'dd Llion Hedd yn ddau fis o'd.'

'Oedd,' meddai Heulwen a synhwyrodd Glyn awydd yn ei llais i beidio agor y drws ar y gorffennol pell.

'Fe esoch chi'n fuan wedyn. I Ga'rdydd.'

'Do.'

'Sai'n gweld dim bai arnoch chi. Mynd nelen inne 'fyd yn 'ych sgitie chi.'

Pam na allai'r Difa synhwyro pryd i gadw ei cheg ar gau, meddyliodd Glyn. Pa ddiffyg oedd ynddi na allai weld pryd i beidio â sôn am bethau nad oedd neb haws â sôn amdanyn nhw? Clywodd Dan yn troi mymryn yn nes at y ffenest fel pe bai'n ceisio dianc rhag y siarad.

'Mi *oedd* hi'n anodd,' cytunodd Heulwen heb ychwanegu rhagor.

'Welon ni'ch colli chi yn y pentre,' daliodd y Difa ati.

'Go brin,' chwerthodd Heulwen. 'Fuodd Dan na finna erioed yn bileri'r gymuned fel wyt ti.'

W, crafiad, meddyliodd Glyn. Ond sythu'n hunan-fodlon yn ei sedd a wnaeth y Difa.

'Ac Awel Mai'n edrych mla'n shwt gyment i ddachre'r ysgol feithrin gyda Megan.'

Nid atebodd Heulwen. Tybiai Glyn fod clywed yr enw wedi dod fel pelten iddi. Gallai yntau fod wedi estyn pelten i'r Difa am wneud. Sut yn y byd roedd Awel, yn ddwy a hanner oed, yn gallu edrych ymlaen at unrhyw beth? Ni welodd erioed golli Megan. Sut allai hi? Buan iawn aeth ei chyfeilles fach yn angof iddi.

'Dilys,' mentrodd, 'gwell peido siarad am... '

'Na, na,' meddai Heulwen o'r cefn. 'Gad iddi, Glyn. Dydi peidio siarad am betha'n neud dim lles.'

Disgynnodd tawelwch dros y car am rai eiliadau. Clywodd Glyn Dan yn ceisio'i wneud ei hun yn rhan o'r ffenest gefn.

'Ma Awel Mai yng Ngha'rdydd,' meddai'r Difa gan feddwl, tybiai Glyn, ei bod hi wedi newid llwybr y sgwrs. Pa mor fach *oedd* ei meddwl hi mewn difri calon? 'Swydd cyfieithydd yn y Cynulliad. Ennill yn dda.'

'Yndi wir? Ewadd.' Tawelodd Heulwen.

'Fflat 'da hi yn y Bae.'

'Braf iawn.'

'Heb fod yn rhy bell o'i gwaith,' eglurodd y Difa'n ddiangen wrth bobol Caerdydd. 'Wrth 'i bodd 'na. Ddele hi ddim 'nôl, ma hi'n gweud. Moyn aros yng Ngha'rdydd. Siwto hi, ma hi'n gweud.'

'Ydi hi wedi priodi?' holodd Heulwen.

'Na 'di. Saith ar hugen bach yn ifanc i briodi dyddie 'ma, nag yw e?'

Pwy gymerai Awel Mai a'i holl fagej, meddyliodd Glyn. Oedd, roedd hi'n ferch iddo, ond arglwydd mawr, allai e ddim meddwl y bydde unrhyw fachan mas 'na yn galler ymdopi â'r obsesiynau bach rif y gwlith a nodweddai bersonoliaeth ei ferch. Chafwyd ddim dau mwy gwahanol nac Awel Mai a Llion Hedd. Cofiodd amdani, pan ddaeth hi adref wysg ei thin dros wyliau'r Nadolig diwethaf yn mynnu ei fod yn prynu llaeth wedi'i steryllu iddi gael ei yfed yn ei the, am nad oedd llaeth cyffredin yn cytuno â hi. Pan sylwodd Glyn ymhen rhai dyddiau fod y botel laeth *sterilized* yn wag, arllwysodd beth o'r llaeth cyffredin brwnt, llawn heintiau y bydd pawb arall yn ei yfed, i mewn i'r botel wag, a dyna gafodd hi, yn ddiarwybod iddi, yn ystod gweddill ei harhosiad. Ni sylwodd iddi dyfu cyrn yn sgil ei dwyll. Yr un fath wedyn gyda'r bwyd: *gluten intolerance, sugar intolerance, salt intolerance...* doedd dim pen draw ar restr y bwydydd roedd ei chorff yn anoddefgar ohonyn nhw. Tyngai Awel fod ganddi alergedd at furum, ffrwythau coch (mafon, mefus, mwyar) a ffrwythau citrws (orenau, lemonau) ac o bosib afalau – neu fananas. Peth rhyfedd ei bod hi byw o gwbwl.

Barnai Glyn yn ddistaw bach mai anoddefgarwch tuag at adre oedd gwir wendid ei chorff, a bod hwnnw â'i wreiddyn yn ddwfn yn ei meddwl, a heb sail fiocemegol o fath yn y byd. Ond nid aeth i drafod y mater gyda'i ferch rhag gorfod gwrando arni'n rhestru'r cylchgronau a'r papurau newydd lle darllenasai am yr holl anhwylderau a flinai ei chyfansoddiad (ac a roddodd fod i bob anhwylder yr eiliad roedd hi'n darllen amdanyn nhw, fe fetiai).

Nid oedd Caerdydd, er ei holl oruchafiaeth, wedi llwyddo i ddarparu enaid hoff cytûn iddi o blith dynion – am a wyddai

Glyn – a gwaredai wrth feddwl sut un fyddai creadur o'r fath ped ymgnawdolai ym mywyd ei ferch.

'Blydi lwni' oedd disgrifiad Llion o'i chwaer pan laniodd hi yno ddeuddydd cyn Dolig â llond ei breichiau o obenyddion o'i fflat rhag iddi ddigwydd anadlu marwolaeth oddi ar un o'u gobenyddion nhw. Treuliodd ddydd Dolig ar ei hyd, a Llion yn dynwared llais gwichlyd, cwynfanllyd ei chwaer wrth Nia – tu ôl i gefn ei chwaer, ac yn ei hwyneb hefyd.

'Ga'th hi ffyrst chi'n gwbod,' methodd y Difa ag atal ei hun nawr. Bob tro y dôi enw Awel Mai yn agos i sgwrs, ni allai'r Difa atal ei hun rhag ymffrostio, na rhag ychwanegu: 'er bod hi'n diodde o glefyd y paill drwy'r arholiade!'

'Da iawn hi,' meddai Heulwen.

'Dilys…' methodd Glyn â dal eto. Edrychodd y Difa arno'n ddiddeall, a chaeodd yntau ei geg. Ni wnâi ei hatal hi rhag siarad am Awel Mai ddim byd ond tynnu sylw at ansensitifrwydd llethol ei wraig.

'A ma Llion wedi dyweddïo â Nia,' aeth y Difa rhagddi. Dyweddïo o ddiawl, meddai Glyn wrtho'i hun. 'Ma fynte'n neud yn dda hefyd,' ychwanegodd hithau, 'yn fanijar ar westy yn dre.' Un ffordd o ddweud 'barman', meddyliodd Glyn. 'Ond Awel Mai ga'th y brêns. Ma merched yn tueddu i neud yn well na bechgyn yn 'u harholiade on'd y'n nhw?'

'Odyn,' meddai Heulwen.

'Tybed shwt siâp fydd ar y maes carafanne,' holodd Glyn, i newid y pwnc.

'Dau fis yn hŷn nag Awel o'dd Megan, on'defe?' gofynnodd y Difa, a hithe'n gwybod yn iawn.

'Llai o fwd na llynedd, gobeitho,' daliodd Glyn ati.

'Awel ym mis Mai a Megan ym mis Mawrth, on'defe.'

'Ia,' meddai Heulwen.

'O's sôn bo nhw'n addo tywydd mawr?' holodd Glyn, plis, plis i newid y pwnc. 'Dilys, welest ti'r tywydd? Beth o'dd y tywydd yn gweud?'

'Fydde hithe'n saith ar hugen fel Awel,' anwybyddodd Dilys ef.

'Bysa,' meddai Heulwen.

'O's 'da ti syniad?' hanner trodd Glyn i ofyn i Heulwen. 'Shwt dywydd ma'n nhw'n addo?'

'Haul,' meddai Heulwen. 'Ond ma hi mor anodd deud.'

7

Tynnodd y Difa'r car i mewn i'r garej y tu allan i Ddolgellau. Roedd hi'n awyddus i lenwi'r tanc rhag gorfod ciwio am betrol yn y Bala.

'Fe anghofiodd Glyn 'i lanw fe ddo' er bo fi wedi gofyn iddo fe,' meddai. Croes arall gyferbyn â'i enw i'w hychwanegu at y miloedd a oedd yno'n barod. Miloedd o groesau, yn lle ticiau gan Mrs Edwards: croesau i gyd, a 'run yn gusan.

Aeth y Difa allan o'r car a gwelodd Glyn ei gyfle. Trodd yn ei sedd.

'Ma'n ddrwg 'da fi am Dilys,' ymddiheurodd gan edrych ar Dan cyn troi at Heulwen.

'Ma'n iawn,' meddai Dan.

'Beth ti'n feddwl?' holodd Heulwen yn llawn syndod.

'Wel... ti'mbo...' dechreuodd Glyn. 'Y ffordd ma hi'n

mynd mla'n a mla'n...'

'Be sy isio ymddiheuro?' meddai Heulwen yn llawn rhyfeddod. 'Ma Dilys yn grêt. Mor braf 'ych gweld chi'ch dau eto.'

'Ddim hi yw'r mwya sensitif o blant dynion,' meddai Glyn yn lletchwith.

'Shwsh!' ebychodd Heulwen. 'Ddim o gwbwl. Ma chwartar canrif yn goblyn o amsar hir.'

'Ie, wel...' meddai Glyn cyn sychu. Roedd Dilys wrth y til yn talu. Agorodd Glyn ddrws y car wrth iddi ddod allan yn ei hôl.

'Ddreifa i nawr,' meddai wrthi. I ni gael cyrraedd yn gynt, meddyliodd wrtho'i hun. Iddo gael edrych yn y drych a gweld... gweld beth? Sut effaith roedd ansensitifrwydd Dilys yn ei gael ar y ddau yn y cefn? Roedd Heulwen mor gwrtais, fyddai hi byth yn cyfaddef bod siarad Dilys yn dweud arni. A Dan mor dawedog. Pam na ddwedai pobl wrth ei wraig am gau ei cheg?

Ond roedd Heulwen wedi dweud, yn 'doedd? Efallai fod chwarter canrif wedi hen ddileu'r creithiau, ac o edrych arni a gwybod am ei bywyd, rhaid bod hynny'n wir. Roedd hi mor anodd darllen pobl.

'I ti gael siarad,' ychwanegodd wrth y Difa.

Bodlonodd y Difa'n syth gan ddweud bod ei hysgwydd *wedi* dechrau teimlo straen y gyrru, wir.

Cymerodd Glyn ei le tu ôl i'r llyw ac ailgychwyn am y Bala. Gallai edrych yn y drych ar y ddau, a chyfaddefodd wrtho'i hun mai dyna pam yr awgrymodd y gallai e yrru am weddill y daith. Roedd Dan wedi cau ei lygaid, a'i ben yn pwyso ar y ffenest. Roedd ei wallt yntau'n dechrau britho hefyd, cysurodd Glyn ei hun, er nad oedd i'w weld yn dechrau moeli chwaith. A Heulwen wrth ei ochr, fel darlun, yn trydaneiddio awyrgylch y car. Roedd hi wedi gosod gwên fach barhaol ar ei gwefusau na chofiai Glyn ei gweld slawer dydd, fel pe bai hi'n benderfynol o argyhoeddi'r byd a betws ei bod hi'n gwbl fodlon â'i bywyd. Neu efallai mai dyna ei stad naturiol y dyddiau hyn, dadleuodd Glyn ag ef ei hun: efallai ei *bod* hi'n fodlon â'i bywyd, a bod y wên yn ddiffuant. Rhaid bod *rhai* pobl ganol oed yn rhywle *yn* gwbl fodlon ar eu byd.

Roedd y Difa a Heulwen wedi dechrau trafod sir Benfro, gan gymharu profiadau o wahanol lefydd lle treuliwyd gwyliau dros y blynyddoedd – profiadau a oedd yn gyfyngedig i feysydd carafannau yn achos Dilys a rhai Heulwen yn troi rhwng gwahanol westai o safon ledled y sir. Gallent gyfarfod ar dir canol Waldo a'r Preselau, a Dilys yn pupro'r sgwrs â gwahanol gerddi o eiddo'r bardd a osodasai i gerdd dant. Gwelodd Glyn lygaid Heulwen yn dawnsio'n ddireidus wrth i'r Difa geisio cyfleu anhawster gosod rhai o'r cerddi rhydd ar geinciau anhylaw, ond diolchodd am gerdd dant am unwaith yn ei fywyd: cynigiai dir diogel i'w sgwrs.

'"Tooth music" o'dd Llion arfer 'i alw fe pan o'dd e'n fach,' chwerthodd y Difa. ('Brain-fuck' oedd y disgrifiad diweddara o gerdd dant a glywodd Glyn o enau ei fab.)

'Ydi o'n gerdd-dantiwr?' holodd Heulwen yn ddiniwed a bu bron i Glyn grasio'r car wrth i don o apoplecsi fygwth ei daro wrth ddychmygu Llion yn canu cerdd dant.

'Roedd e ar un adeg,' meddai Dilys. Oedd, am hanner awr pan oedd e'n chwech, meddai Glyn wrtho'i hun, cyn dianc o'r tŷ i chwarae dens yn caeau gyda'r bechgyn normal eraill a'i regfeydd yn atseinio drwy'r tŷ ymhell wedi iddo ddiflannu. 'Ond llefaru yw 'i *forte* fe.' Hoelen ar ei ben, Dilys, er na welodd yr un o'i ddwy droed lwyfan unrhyw eisteddfod erioed.

'Awel Mai yw'r eisteddfodwraig,' aeth y Difa rhagddi. Oedd, Dilys, *oedd* yr eisteddfodwraig. Cyn iddi ymddinasyddio a meddwl ei bod yn well na chwarae plant primitif o'r fath. Nid âi Awel Mai i beryglu ei hiechyd bregus ar faes llychlyd neu fwdlyd yr un eisteddfod y dyddiau hyn. Meddyliodd Glyn am effaith newyddion Llion ar honno – pe dôi hi i'r gwaethaf, sut fyddai *hi'n* gallu ymdopi â brawd yn y jêl! Byddai'n siŵr o'i ddiarddel o'i bywyd.

Taflodd gipolwg arall yn y drych ar Heulwen yn ymateb wrth i'r Difa ganu clodydd ei merch a chwiliodd am ryw arwydd a fradychai'r meddyliau y tu ôl i'r ysgafnder yn ei llais. Baldorddai'r Difa yn ei blaen yn ddall, fyddar, ddideimlad am orchestion eisteddfodol, academig, a gyrfaol ei merch a phorthai Heulwen heb ddatgelu unrhyw arlliw o'i meddyliau hithau am y ferch a gollodd.

Ceisiodd Glyn droi ei feddyliau ei hun at drafferth Llion rhag tynnu ei hun i mewn i bydew. Sylwodd fod Dan wedi agor ei lygaid, er nad oedd wedi troi oddi wrth y ffenest. Ti a fi, mêt, yn rhwym am oes i wrando ar ein menywod, heb allu yn y byd i ffrwyno'u tafodau.

'Cythrel o beth,' roedd y Difa'n dweud. 'Colli plentyn.'

Gwelodd Glyn Heulwen yn cytuno'n ddistaw a'r wên yn disgyn oddi ar ei gwefusau wrth iddi ddweud 'ia' yn dawel. Gwelodd Dan yn cau ei lygaid eto, cau'r Difa allan, cau'r cyfan allan. Trodd Heulwen i edrych allan drwy ei ffenest hithau wrth fethu cynnal yr arwynebol. Adlewyrchent ei gilydd, a'r ddau bron wedi troi oddi wrth ei gilydd hefyd. Câi'r ddau olygfa wahanol drwy eu dwy ffenest, ond yr un oedd eu hysfa i gael bod yr ochr draw iddynt, y tu allan i'r car melltigedig hwn a'i caethiwai yn y gorffennol.

Cofiodd Glyn yn sydyn amdano'n lladd y pryfed swnllyd yn y garafán â'r hen rifyn o *Golwg*.

Am unwaith, sylweddolodd y Difa iddi darfu, a'u plymio oll i ddyfnder o dawelwch drwy fynnu eu tynnu nhw eu tri yn ôl i rywle na ddymunent fod. Tawodd. Ni feiddiodd Glyn edrych arni – sgrechiai arni yn ei ben, ac ofnai y dôi'r sgrech allan ohono pe edrychai arni, er gwaetha'i ymdrechion i'w chadw dan glo. Pwy roddodd lais i ti stampio ar eu galar nhw? A chario holl ach y gorffennol 'nôl ar dy sgidiau i'w dwyno nhw a fi? I redeg dy dafod yn rhydd i lyfu drwy'r profiadau na wyddost ti ddim oll amdanyn nhw, a'u dwyn nhw'n ôl heb i neb ofyn i ti, fel ci yn llusgo carcas oen i'n breichiau, er i ni droi i ffwrdd a cheisio cau'r drysau arnat ti, yr ast fach.

'Wthnos braf ma'n nhw'n addo,' meddai Heulwen gan droi'n ôl i'r car o'r ffenest.

★

Gollyngodd Glyn y ddau o flaen y White Lion ac aeth i dynnu eu cesys o'r bŵt. Daeth y Difa allan o'r car i ffarwelio.

'Dowch draw i'r garafán i'n gweld ni,' meddai'r Difa.

'Siŵr o neud,' meddai Heulwen, a'i gwên fodlon yn dweud ei bod hi eto'n ddiwrnod braf.

'Diolch,' meddai Dan wrth Glyn. 'Arna i beint i ti.'

'Dim o gwbwl,' meddai Glyn.

Roedd Glyn yn troi'r car a'r garafán i mewn i'r maes carafannau pan dorrodd y Difa'r tawelwch.

'Beth sy'n *bod* arnot ti?' gofynnodd iddo.

Ffrwydrodd ei gerydd i'w chyfarfod – *ti*, Dilys! Yn mynnu codi hen grachod! Ond caeodd ei ddannedd i'w ddal yn ei geg.

'Dim byd, Dilys.'

8

'Bendigedig!' meddai Dan. 'Styc yn y Bala, heb blydi car!'

Gosododd Heulwen ei gwisg ar gyfer y llwyfan y diwrnod canlynol ar hangyr.

'Gawn ni drio'n gore i osgoi'r ddau 'na weddill yr wythnos?' Eisteddodd Dan ar y gwely a'i ysgwyddau wedi crymu. Daliodd Heulwen ati i ddadbacio.

'Ti yw'r arbenigwr ar osgoi,' mwmiodd Heulwen wrth fynd â'i bag colur a'i phethau ymolchi at y sinc fach.

★

Teimlai fel pe bai hi wedi treulio talpiau mawr o'i hoes mewn gwestai. Gwyddai nad oedd hynny'n wir, mai wythnos fan hyn, wythnos fan draw oedd hi wedi bod, ddwywaith neu deirgwaith y flwyddyn, ac ambell benwythnos i lenwi'r bylchau rhyngddynt. Dan oedd yn credu yng ngwerth gwyliau, nid hi, a fo fyddai'n trefnu fel arfer. Bron na ddechreuai feddwl am gyrchfan wahanol i'w threfnu 'ymhen rhyw fis' yr eiliad y cyrhaeddai adref o wyliau. Pe bai ei gwaith hi'n caniatáu iddyn nhw fynd yn amlach, diau mai un gwyliau hir fyddai eu priodas wedi bod dros y blynyddoedd diwethaf. Er iddi ildio i'w chwiwiau yn amlach na pheidio, doedd hi erioed wedi deall ei hysfa, ei nychdod, i fynd i ffwrdd, 'gweld beth welwn ni'. Be yn y byd oedd o'n feddwl y gwelai o mewn gwirionedd ar wahân i'r hyn y gwyddai y gwelai? Be oedd y wyrth yma, dan gêl o hyd, rywle yn y byd iddo'i hawlio, dim ond iddo chwilio pob cwr yn ddigon hir? Gwyrth…? Angel. Ysbryd. Llonyddwch. Beth? Be mewn difrif allai o fod?

Yn groes i'r graen y byddai Heulwen yn gadael ei gwaith gartref. 'Der â fe gyda ti,' dywedai Dan bob tro, ac fe fyddai hi'n llenwi ei chês â phob mathau o lyfrau, a'r gliniadur bob amser ar ben ei rhestr o bethau i'w cofio. Ond doedd Dan ddim fel pe bai o'n deall, chwaith, mai colli mynd i'w hystafell yn y brifysgol fyddai hi, colli mynd allan i rywle lle gallai ymgolli'n llwyr yn yr hyn roedd hi'n ei wneud. Llwyddai i wneud hynny yn y brifysgol, ac i raddau helaeth yn ei stydi gartref, ond doedd dim posib cau'r drws a chanolbwyntio'n llwyr ar waith mewn ystafell ddwbl mewn gwesty, waeth lle yn y byd roedd hi. Roedd rhywun yn barhaol yn ymwybodol o'i gwmni ei hun ar wyliau, a doedd gan Heulwen fawr o awydd bod yn ei chwmni ei hun. Ni allai weld pa fwynhad a gâi Dan o fod yn ei chwmni bedair awr ar hugain y dydd chwaith: llawer gwell ganddi oedd ratlo'n rhydd yn eu cartref eu hunain, hithau mewn un ystafell ac yntau mewn un arall, heb orfod dod at ei gilydd heblaw pan fyddai'r naill neu'r llall yn teimlo fel gwneud hynny.

Ond fyddai hi byth yn dadlau go iawn pan gyhoeddai Dan ei fwriad iddynt fynd i ffwrdd. Gwyddai mai ceisio dianc oddi wrth stad arferol pethau, eu hunain arferol, y byddai'n ceisio'i wneud a byddai iddi hi roi pìn yn ei swigen a dweud bod hynny'n amhosib, yn ormod iddo. Rhaid oedd chwarae'r gêm.

Nid felly yr arferai pethau fod. Wedi iddynt gyrraedd Caerdydd chwarter canrif yn ôl, prin y gadawai hi ef o'i golwg. Bron nad oedd hi'n mynnu ei gwmni'n wastadol. Byddai'n sefyllian o gwmpas y 'stiwdio' a greodd o'r ystafell gefn wrth iddo geisio adfer egni ac ysbrydoliaeth i beintio. Siaradai Heulwen yn ddi-baid yn y dyddiau hynny – chwydu ger ei fron bob manylyn am y noson y bu Megan farw, ailymweld â'i heuogrwydd o hyd ac o hyd – be fasen ni wedi gallu ei neud yn wahanol, be os, be os na – a chwestiynau diddiwedd a âi â nhw ill dau yn ôl eto ac eto i'r un lle. Doedd dim blas ar y peintio i Dan, ond roedd cael gwneud rhywbeth tra siaradai hi am yr un peth, drosodd a throsodd, yn rhyw fath o ddihangfa, a fyntau'n chwilio am atebion iddi. Ceisiai ei thynnu o drobwll, ei llusgo i'r dyfodol, a hithau'n methu, a'i atebion prin yn dangos fawr o'u hôl ar gynfas ei meddwl. Mynnai ei gwmni, ei sylw, ei glustiau fo, wrth holi'r un cwestiynau, ac yntau'n methu ei hateb.

Ceisiodd ei chymell i weld rhywun arall, rhywun a allai ei helpu hi i wynebu'r dyfodol, a chafodd Heulwen arllwys ei bol wrth yr 'arbenigwr' hwn a'r llall ar faterion yn ymwneud â phrofedigaeth, ond yn ôl at Dan y dôi hi bob tro, i chwydu ei pherfedd fel cynt.

Gwyddai ei fod o eisiau atebion fel hithau, ond roedd o, yn wahanol iddi hi, yn dechrau derbyn nad oedd atebion ar gael.

Ac yn raddol, dros y blynyddoedd, wrth iddi gadw ei chwestiynau iddi hi ei hun dechreuodd adeiladu bywyd allanol newydd, fel cragen ysgubor fawr am yr hyn a oedd y tu mewn iddi.

Doedd neb yn falchach na Dan pan ailafaelodd Heulwen yn y ddoethuriaeth y bu'n gweithio tuag ati cyn geni Megan. Synnodd, lawn cymaint â hi ei hun, at y brwdfrydedd â'i meddiannodd hi – fel pe bai dros nos. Gweithiai o naw y bore tan chwech cyn dychwelyd adref o'r llyfrgell â bwndel o lyfrau o dan ei braich i'w darllen gyda'r nos. Gwyddai ei bod hi'n esgeuluso ei chyfathrach â Dan, ond roedd yntau i'w weld yn ddigon bodlon bryd hynny: disgynnodd tawelwch, lle gynt bu hi'n parablu, a'i chwestiynau di-baid wedi bygwth torri twll yn ei feddwl.

Bellach, gweithiai Dan mewn stiwdio fechan ar rent mewn hen warws ar gyrion y ddinas. Sylweddolai Heulwen mai ei thyrchu cyson i farwolaeth Megan a'i gyrrodd o'r tŷ. Wrth i'r cwestiynau ddiflannu, siaradodd Dan am ddod yn ôl adref i weithio, ond rhoddodd Heulwen stop ar hynny. 'Mae'n gwneud lles i ni'n dau fynd allan i weithio,' meddai, ac ni allai Dan ddadlau, yn wyneb y newid ynddi.

'Mae'n dda dy weld di'n symud mla'n,' meddai Dan wrthi rai misoedd wedi iddi ailafael yn ei thraethawd. 'Ma'n ddechre newydd i ni'n dau.'

Cofiai nad oedd hi wedi'i ateb, dim ond holi be oedd 'na i swper.

Roedd blynyddoedd y traethawd, a'i dderbyniad gwresog gan y brifysgol a arweiniodd at ei phenodi'n ddarlithydd yn Adran y Gymraeg, wedi hedfan heibio. Prin y cofiai Heulwen am y cyfnod hwnnw bellach, heblaw am yr ysfa angerddol ynddi i gwblhau'r traethawd. Dechreuodd gymdeithasu ag eraill yn ei hadran, ailddarganfod colur a dillad a gwên at bob achlysur. Hyd heddiw, ni lithrai'r wên yn aml o'r eiliad y cerddai o'r tŷ yn y boreau tan iddi ddychwelyd yn hwyr yn y prynhawn. Roedd hi'n giamstar ar wenu y tu allan i'r tŷ.

Doedd pethau'r ochr arall i'r drws ffrynt ddim wedi rhedeg mor llyfn. Dan yn unig a welai Heulwen yn diosg ei hawddgarwch a'i hunanhyder ar garreg y drws. Cilio i'r ystafell fach a drodd yn stydi iddi'i hun a wnâi yn fwy mynych na pheidio, gwasgu'r switsh ar y tân trydan yn y fan honno, a nythu yn y gadair freichiau fawr a lusgodd o'r lolfa, efo'i llyfrau a'i phad ysgrifennu ar y fraich lydan.

Âi'n ddiamynedd pan ddôi Dan i mewn heb ei wahodd, er y ceisiai wneud ei gorau i guddio'r ffaith ei bod hi'n ystyried ei bresenoldeb yn fwrn ac yn rhwystr.

Ond dysgodd Dan i beidio ag ymyrryd. Gwyddai Heulwen ei fod yntau, fel hithau, yn derbyn mai fel hyn y byddai hi rŵan.

Daliai Dan i fynnu eu bod nhw'n mynd ar wyliau yn llawer amlach nag y byddai Heulwen yn ei ddymuno, ond mater o gyfaddawd oedd hynny yn y pen draw. Gwyddai mai ffordd Dan o ddelio â'i ffordd wrthnysig, bell hi o fyw oedd ei ddyhead i fynd i ffwrdd, a'u gorfodi, oddi mewn i bedair wal ystafell mewn gwesty, i gyd-fyw. O'i rhan hi, gallai oddef mynd i ffwrdd efo fo rŵan ac yn y man er mwyn sicrhau amser iddi hi ei hun a'i gwaith pan fyddai gartref. A thra bod ganddi ei bwndel o lyfrau yn y cês, a strap ei gliniadur am ei hysgwydd, doedd dim ots ganddi mewn gwirionedd lle yn y byd roedd hi.

Bu llithro o dro i dro pan ymwthiai'r Heulwen arall i'r wyneb – yr Heulwen yn llawn o gwestiynau heb atebion iddynt, yn llawn gofidiau nad oedd ymgeledd yn y byd rhagddynt ac yn llawn euogrwydd nad oedd gysur rhagddo.

★

Gwelai Heulwen y dyddiad yn dod o bell. Flwyddyn cyn hynny hyd yn oed, yna'r misoedd yn llithro heibio, a'r dyddiad yn nesu, yn gynt ac yn gynt, gan wneud iddi ymdaflu fwyfwy yn ei gwaith. Dechreuodd fynd i gyfarfodydd yma ac acw, ymuno â chymdeithasau na fyddai wedi breuddwydio ymwneud â nhw cyn hynny. Dawnsio gwerin nos Lun, y Gymdeithas Hanes nos Fawrth am yn ail â'r clwb darllen, cyfarfodydd Cymdeithas yr Iaith, Cyfeillion y Ddaear, y Blaid, dramâu – gan gynnwys ymuno â chwmni amatur – unrhyw beth, popeth. Lledodd ei hadenydd i gynnwys dawnsio salsa, ioga, y Gymdeithas Geltaidd, Cymru-Llydaw, Cymru-Iwerddon, canu gwerin, pob cyngerdd, cyfarfod, lansiad neu se'siwn a gâi ei hysbysebu. A thrwy'r cyfan oll, ei gwaith.

Dyna pryd y sylweddolodd Dan mai'r unig ddewis oedd ganddo mewn gwirionedd oedd derbyn yr Heulwen agos ato a'i chwestiynau'n ei fwyta'n fyw – neu'r Heulwen bell.

Yna, trodd y misoedd yn wythnosau a phrin y dôi hi adref o gwbwl, dim ond i gysgu.

Un bore, dair wythnos cyn y dyddiad, daliodd Dan hi'n ceisio rhoi rhyw lun o drefn ar ei dyddiadur wrth dynnu brwsh drwy ei gwallt.

'Ma'r cwmni drama a chyfarfod y Gymdeithas 'run pryd nos fory, a'r rheiny ddau ben pella'r ddinas i'w gilydd.' Wrthi ei hun y siaradai, ond ceisiodd Dan wthio i mewn i'w sgwrs a chynnig cymorth drwy awgrymu:

'Dwed wrth un ohonyn nhw bo ti'n methu mynd.'

'Dwi 'di deud bo fi'n mynd. Ma'r Gymdeithas isio i fi roi help i ymateb i adroddiad ar yr iaith yn y ddinas. Ac ma'r ddrama'n ca'l 'i llwyfannu nos Wener.'

'Os wyt ti'n methu mynd i un, ti'n methu mynd, a 'na fe!'

'Ti ddim yn dallt?' cododd ei llais mewn creshendo siarp. 'Ma'n *rhaid* i mi fynd!'

'Does dim *rhaid*!' brathodd Dan yn ôl. Mae'n bosib ei fod yn deisyfu ffrae i dorri ar undonedd ei gwmni ei hun.

'Ma 'na *ddyletswydd* arna i!' saethodd hithau yn ôl ato.

Dechreuodd Dan chwerthin.

'Paid â bod mor *ridiculous*, Heulwen!' ebychodd. Ond gwyddai hithau wrth edrych 'nôl ar y ffrae honno ei bod hi y tu hwnt i bob rhesymeg ar y pryd. Yn amlwg, roedd Dan yn awyddus i beidio â cherdded y tu arall heibio i bethau am unwaith. Ac i gadarnhau hynny trodd y pwnc yn syth at yr hyn nas lleisiwyd gan yr un o'r ddau.

'Fe elli di fentro dysgu *siomi* pobol...' Pwysleisiodd y gair 'siomi' i ategu ei farn na wnâi presenoldeb Heulwen mewn cyfarfod fawr o wahaniaeth i neb, 'achos dwi'n bwriadu trefnu gwylie i ni yn Llunden. Wythnos. O'r deunawfed i'r pumed ar hugen.'

Dweud, nid gofyn.

Ac edrychodd Heulwen arno fel pe bai'r llawr yn disgyn o dan ei thraed.

'Ond... '

'Ie. Ar yr ugeinfed, byddwn ni'n cerdded i Abaty Westminster, yn hala cwpwl o orie 'na yn y bore, yn ca'l cino sydyn wedyn ar y ffordd i ddala'r cwch am daith fach lawr y Tafwys, ac yn dod 'nôl i'r gwesty i ga'l swper – ni'n dau, neb arall. Dyna sy'n digwydd ar yr ugeinfed. A dwyt ti ddim i ddod â llyfyr 'da ti'r tro 'ma. Gadel y cwbwl gatre.'

Roedd min ar ei lais.

A hithau wedi bwriadu claddu ei hun yn y twll tywyllaf posib o waith a gwaith a gwaith drwy bob un eiliad o'r ugeinfed.

'Alla i ddim!' ebychodd Heulwen. '*Alla* i ddim!'

'Gelli,' meddai Dan yn dawelach. 'Ma deng mlynedd yn hen ddigon hir. Y tro yma, fydd Megan ddim gyda ni. Gwylie i ni'n dau fydd hwn a...'

'Fedri di mo 'ngorfodi i.'

'Am unwaith, dwi'n mynd i drio.'

'Dwi ddim yn dod.' Pendant.

'Pasio'r ugeinfed, Heulwen!' Clywai fwy o ymbil ar ei lais bellach. 'Pasio'r deng mlynedd. Ma'n bryd symud *mla'n*.'

'Dwi *yn* symud mla'n,' dadleuodd hithau. 'Edrych be dwi

wedi'i neud dros y deng mlynedd dwetha!'

'Ar y tu allan ma hwnna, *superficial*.'

'Ma gen i raglen deledu i'w gwneud wythnos yr ugeinfed. Fedra i ddim newid y cynllunie. Sorri.' Roedd hi'n adfer ei hyder a bu bron iddi ychwanegu y câi o fynd i Lundain ar ei ben ei hun os oedd o gymaint o eisiau mynd.

'Oes, a chant a mil o bethe erill,' cipiodd Dan ei dyddiadur desg o'i llaw. Ffliciodd gwpwl o dudalennau at wythnos yr ugeinfed: roedd hi'n orlawn, a lliwiau gwahanol feiros yn dynodi na fyddai ganddi amser i gymryd anadl drwy'r wythnos ar ei hyd. Roedd hi fel pe bai wedi ceisio gwthio'r digwyddiadau i gyd i'r ugeinfed ond bod nifer wedyn yn goferu'r naill ochr a'r llall i'r diwrnod hwnnw. Dim gair am Megan wrth gwrs, er mai o'i hachos hi roedd y fath gawdel o sgribls yn dynodi'r holl weithgareddau a gynlluniwyd ganddi ar gyfer y diwrnod hwnnw.

'Ai dyddiadur dynes gall yw hwn, wedet ti?' holodd Dan wrth i Heulwen geisio'i gipio o'i law. 'Alli di ddim dianc rhag yr ugeinfed,' cododd Dan y dyddiadur uwch ei ben o'i chyrraedd.

'Dianc fysa Llundan!' dadleuodd hithau.

'Nage. Symud mla'n fydde Llunden,' meddai Dan. 'I ni'n dau. Ma'n bryd, 'so ti'n credu?'

'Paid â'n mygu i!'

'Rhoi rhyddid i ti dwi.'

''Yn mygu i. Ti'm isio siarad amdani, ti'm isio clwad amdani, pam ti'n meddwl dwi mor brysur? Sgin i'm byd arall.'

'Dwi'n berffaith fodlon siarad amdani,' meddai Dan. 'Fi sy isie *siarad* amdani. Gofyn cwestiyne wyt ti, fflangellu dy hunan a phawb arall, ffili dod dros beth ddigwyddodd. Siarada i amdani â chroeso! Ti'n cofio'r dwrnod 'na eson ni â hi i lan y môr, y dwrnod brynon ni'r leilo oren...' gwnaeth ati.

'Paid ti â meiddio trin y peth yn ysgafn.'

'Pam? Peth ysgafn oedd hi, peth bach ysgafn, sionc, llon. Ti'n cofio beth yw bod yn ysgafn? Ti'm yn meddwl taw peth *da* yw cofio'r ysgafnder?'

'Roth beth ddigwyddodd stop ar hynny,' trodd Heulwen oddi wrtho.

'Do, ond do's dim byd i'n stopo ni siarad am yr adege da, yr amser bendigedig gawson ni yn 'i chwmni hi.'

Bachodd Heulwen y dyddiadur o'i law a'i stwffio'n chwyrn i waelod ei bag.

'Cofio gormod ydw i,' meddai'n swta, gan gychwyn i gyfeiriad y drws.

Daliodd Dan ei braich. Gallai weld yr ymbil yn ei lygaid.

'Symud mla'n, Heulwen. Ma'n *rhaid* i ni. Ma amser yn brin.'

Syfrdanwyd hi fymryn gan ei osodiad, digon i wneud iddi beidio â cherdded drwy'r drws.

''Den ni'n mynd yn hŷn,' ymhelaethodd Dan a'i lais yn addfwyn bellach.

Gwyddai'n iawn beth oedd i ddod. Chafodd o erioed mo'i ddweud yn glir, ond roedd Dan wedi gwneud yn siŵr ei bod hi'n gwybod am hwn a'r llall o'i gydnabod oedd wedi mabwysiadu plentyn.

''Den ni ddim yn rhy hen – ddim eto,' plediai rŵan. 'Fydde plentyn bach yn symud bywyd yn 'i fla'n.'

'Alla i ddim ca'l rhagor o blant,' saethodd ato, fel pe bai'n ei gyhuddo o fod mor dwp â methu cofio ffaith mor sylfaenol.

'Mabwysiadu,' meddai Dan gan geisio gostegu'r pryder yn ei lais. 'Fe wnâi les... '

'Fedra i ddim hyd yn oed feddwl am y peth,' meddai Heulwen ar ei ben.

'Pam?' mynnai yntau wybod.

'Am na alla i,' codai ei llais. 'A pheth rhyfadd bo chdi'n gallu meddwl amdano fo.'

Roedd hi wedi camu i fynd allan unwaith eto. Yna roedd ei law yntau'n saethu allan i'w rhwystro.

''Den ni ddim yn gwbod i sicrwydd na alli di ga'l un dy hunan, ma 'na lot wedi newid mewn deng mlynedd. Gallen ni fynd i weld arbenigwr, neud bach mwy o ymdrech...'

Trodd hithau ato a'i hwyneb yn orlawn o'i chwerwedd.

'Be sy? Colli ca'l mwy ohona i yn y gwely wyt ti?'

'Gallet ti benslo fe mewn rhwng yr Aelwyd a'r Gymdeithas,' mentrodd yntau'n sarrug.

'*Dyna* sy! Cwyno mod i'm yn barod i hwra drostot ti, dyna ti'n neud?'

A chyn iddo fedru ei hateb, roedd hi'n tynnu ei chot, yn agor ei blows, ac yn gwthio'i hun arno. Lledodd ei choesau a'i dwylo'n ymbalfalu am sip ei drowsus wrth iddi ymbalfalu am ei gwd. Ni adawodd i'w gwên grotésg lithro am un eiliad.

Tynnodd Dan yn rhydd oddi wrthi, yn methu goddef iddi ei gyffwrdd a hithau yn y fath dymer. Roedd hi'n anadlu'n drwm gan yr ymdrech.

'Ti'n newid dy feddwl 'wan?'

'Isie plentyn arall dwi!' meddai Dan, gan dorri i lawr.

Gwthiodd ei braich yn ôl i lawes ei chot tra caeai'r llaw arall fotymau ei blows. Syllodd arno'n hyll cyn cerdded allan a'i adael i grio ar ei ben ei hun.

★

Trychineb fu Llundain. Rhaid bod Dan wedi syllu ar bob wyneb babi o fewn golwg wrth iddyn nhw gerdded yma ac acw o ddydd i ddydd. Wrth iddo wneud, teimlai Heulwen holl gyhyrau ei chorff yn tynhau mewn dirmyg.

Mynd yno wnaeth hi yn y diwedd er mwyn cau ei geg am fabwysiadu. Doedd 'na fawr o drafod wedi bod rhyngddyn nhw ers y ffrae yn y gegin dair wythnos ynghynt. A heb drafod, fydden nhw ddim yn gallu gwneud dim byd ynghylch awydd Dan am blentyn i lenwi'r bwlch lle roedd Megan i fod.

Gwawriodd yr ugeinfed i Heulwen heb i'r awyr ddisgyn ar ei phen, er gwaetha'i hysfa i ddileu'r dydd o'r calendr drwy wasgu gwaith i bob eiliad ohono fel na châi amser i feddwl amdano o gwbl.

Roedd Dan wedi'i chymell o'r gwesty i fynd ar drip cwch ar afon Tafwys cyn belled â'r Dôm. Eisteddodd Heulwen y tu mewn i'r cwch gan geisio cnoi ei thafod drwy'r holl daith. Doedd arni ddim tamaid o awydd gweld dim, ac i be âi hi i rynnu tu allan ar y dec er mwyn gweld tirlun Llundain na olygodd ddim o gwbwl iddi erio'd, heb sôn am heddiw.

Rhuthrodd oddi ar y cwch ar frys wrth gyrraedd y lanfa a bu bron iddi wthio dau Siapanead oedrannus dros yr ochr i'r dŵr. Dilynodd Dan hi, ond methai â'i chyrraedd ac nid oedd am weiddi rhag tynnu sylw. Ni allai fod yn berffaith siŵr y byddai Heulwen yn cymryd arni iddi ei glywed.

Daliodd i fyny â hi wrth iddi gyrraedd y ffordd.

'Ble nesa?' holodd yntau gan geisio swnio mor ddidaro ag y medrai.

'Dwn i'm amdanat ti, ond dwi'n mynd 'nôl i'r gwesty,' mwmiodd Heulwen heb roi unrhyw le i drafod.

'I be ei di i hel meddylie'n fan'ny?' holodd Dan.

'Gin i fwy na digon o waith i 'nghadw i'n brysur. Dos di. Awn ni i rwla neis i swper,' meddai, a theimlo'i bod hi'n hynod o resymol.

Gallai ei deimlo'n ei gwylio'n cerdded oddi wrtho. Aeth yn ôl i'w hystafell yn y gwesty, gosod ei gliniadur newydd, gwerth ffortiwn o'i blaen ar y cwpwrdd isel, a chladdu ei hun yn ei gwaith.

Chlywodd hi mo'r drws yn agor pan ddychwelodd Dan ymhen teirawr.

'Nelson a Cleopatra'n cofio atat ti,' meddai'n hwyliog i geisio'i chael i godi ei phen i edrych arno.

'Blydi *anti-virus* yn arafu'r peth 'ma!' bytheiriodd Heulwen gan bwnio'r allweddell yn ddiamynedd.

'A Sant Paul a phawb sy'n gorwedd yn y ddaear dan Abaty Westminster,' ychwanegodd Dan − a'r ymdrech bellach yn amlwg ar ei lais.

'Cymyd oesoedd i agor ffeilia.'

Prin roedd hi wedi gorffen siarad, cyn i Dan afael yn y gliniadur a'i hyrddio yn erbyn y wal lle hongiai print o flodau haul Van Gogh uwch eu gwely. Tasgodd ambell ddarn ohono'n rhydd a glanio ar lawr. Rhythodd Heulwen ar y gliniadur heb yngan yr un gair. Gwyliodd yntau hi'n rhythu ar y gliniadur, yn ei godi, ac yn archwilio'r sgrin a'r allweddell. Doedd dim atgyfodiad i fod. Ni allai Dan ei gwylio − aeth i daflu dŵr oer dros ei wyneb yn yr *en suite* a'i gadael hi'n gwasgu'r allweddell, gwasgu, pwyso, ceisio, ymbil dan ei gwynt, a methu ei gael yn ôl yn fyw.

Pan ddaeth yn ei ôl, roedd hi'n dal i geisio ennyn bywyd yn ôl i'w gliniadur, yn gwrthod rhoi'r gorau i'r ymdrech.

'Mynnu dianc!' chwyrnodd hithau, a'i bysedd yn cyflymu dros y botymau. 'Mynnu, mynnu mynd i ffwrdd. Pedair wal, ti a fi, digon i 'nrysu i!'

Edliw isel, bron y tu hwnt i glyw.

Wedyn, prin y cofiai i Dan ei harwain gerfydd ei braich i lawr at y car cyn ei gyrru hi adref.

A'r dydd Llun wedyn, ffoniodd Dan yr Adran i ddweud na fyddai hi yn ei gwaith am rai dyddiau – ffliw. Yr wythnos ganlynol ffoniodd hithau'r gwaith i ddweud bod y ffliw'n gwrthod cilio. Gwnaeth hynny unwaith wedyn cyn i Athro'r Adran alw heibio yn y tŷ, dair wythnos wedi'r ymweliad â Llundain i weld sut oedd hi.

Wnaeth o ddim defnyddio'r gair 'rhybudd', ond doedd Heulwen ddim yn wirion.

'Mae'ch enw chi ar y Gadair yn barod, cofiwch Heulwen. Mater o amser ydi o.'

Cododd yr Athro o'r gadair freichiau a hwylio i fynd. Gwenu arno wnaeth Heulwen. Tynnodd ei hun i fyny oddi ar y soffa i agor y drws ffrynt iddo a ffarweliodd yntau â hi'n gynnes gan ddweud cymaint roedd o'n edrych ymlaen at ei chael hi'n ôl yn holliach yn yr Adran.

Caeodd Heulwen y drws, a theimlo'r lludded yn ffrydio drosti unwaith eto. Gwyddai mai canu larymau yn ei phen oedd bwriad yr ymweliad, ond doedd hynny ddim yn gwneud mynd yn ôl i'w gwaith fymryn yn haws.

Ond fore dydd Llun, yno roedd hi, mor brysur brysur ag erioed, ac yn methu deall beth a'i cadwodd hi oddi yno cyhyd.

9

Syllodd Glyn ar yr un darn o ham, un tomato a thair twten newydd ar ei blat plastig blodeuog. Am ginio dydd Sul! Ai dyma'r oll a haeddai ar ôl bod wrthi fel caethwas am ddwyawr gron yn bustachu i osod yr adlen, cario dŵr, dadlwytho cesys, gosod cynnwys y bocs bwyd a'r bocs llestri ar silffoedd, gwneud y gwely, gosod y canister nwy a gwrando ar y Difa'n cwyno nad oedd eu patsh nhw hanner cystal â phatsh llynedd, yn bell o gyrraedd y toiledau a'r siop, a charafán neb o'u cydnabod o fewn hanner milltir? Sylwodd y Difa arno'n syllu ar ei fwyd.

'Arnot ti ma'r bai am beido siopa mwy. Croeso i ti ga'l gwydred o *win*,' crechwenodd. 'Ma *digonedd* o *win* 'ma!'

Daeth ysfa arno i dderbyn ei chynnig ond gwyddai mai cysgu a wnâi drwy weddill y prynhawn pe bai'n cymryd gwydraid. Lle oedd stopio wedi'r gwydraid cyntaf? Gwyliodd hi'n claddu twten gyfan yn ei cheg gyferbyn ag ef − cawsai hi bedair, sylwodd − gan redeg drwy ei hagenda ar gyfer gweddill y dydd.

'Papur tŷ bach,' atgoffodd ef. 'Cer i brynu digon − a cofia, dim pwps yn y garafán! Cadw'r pwps i'r toilede. A Glyn, *os* galli di gofio pish-pish yn y toilede hefyd bob tro ti'n paso, fe fydde fe'n help i gadw'r lle 'ma'n gwynto'n ffresh.'

Ychwanegodd Glyn 'rheoli fy ymysgaroedd' at y rhestr hirfaith yn ei ben o'i ddyletswyddau ar gyfer yr wythnos. Fforciodd ei domato'n ymosodol a'i roi'n gyfan yn ei geg rhag iddo'i hateb.

'Dylet ti fod wedi cwyno, a gofyn am le gwell. Ma'r maes filltiro'dd bant. Fydda i 'butu cwmpo erbyn diwedd yr wthnos.'

'Ma'n rhaid i rywun fod fan hyn,' ceisiodd Glyn resymu â hi drwy ei domato.

'Do's dim rhaid i'r rhywun 'ny fod yn *ni*,' dadleuodd hithau'n ôl.

'O leia bydd hi'n dawel 'ma, mas o sŵn y canol,' anelodd yntau ar lwybr rhyw resymeg arall, a bodlonodd hithau ddigon i newid y pwnc.

''Wy am fynd i'r maes prynhawn 'ma. Rhoi 'nhrwyn mewn yn y pafiliwn falle; gweld pwy wela i. Wyt ti am ddod?'

'Bydde well 'da fi beido,' atebodd Glyn a'i lais yn awgrymu nad oedd llawer ynddi, er y byddai'n well ganddo dorri ail dwll tin iddo fe ei hun na'i ddilyn hi rownd y maes neu eistedd wrth ei hochr hi yn y pafiliwn yn gwrando arni'n beirniadu dyfarniadau'r beirniaid. 'Ga i ddigonedd o gyfle i grwydro'r maes drwy'r wthnos, a fe safiwn ni wrth i fi beido talu am fynd mewn heddi.'

'Beth yw'r obsesiwn 'ma s'da ti am safio?' holodd y Difa. 'Galle rhywun feddwl bo ti'n mynd yn fên yn dy henaint.'

Gwthiodd Glyn ei fab a chyfreithiwr ei fab allan o'i feddwl. Rhy gynnar i ystyried sbwylio'r wythnos a hithe prin wedi dechrau.

'A 'so ni'n mynd i Ffrainc 'leni. Ni'n safio itha tipyn wrth beido mynd i Ffrainc.'

Digon gwir. Câi arian Ffrainc dalu'r costau cyfreithiol.

'Cere di i'r maes heddi,' meddai Glyn wrth y Difa. A bodlonodd y Difa ar hynny. Ar y cyfan, gwyddai Glyn fod yn well ganddi hithau ryddid i hopian o sgwrs i sgwrs ag wynebau'r genedl heb y ci wrth ei chynffon.

Estynnodd y Difa ei dillad-ar-gyfer-heddiw oddi ar yr hangyr a gwyliodd Glyn hi'n stwffio'i phen-ôl i drowsus du a phletiad fel llafn cyllell ar ei hyd. Diflannodd y pletiad uwchben ei phengliniau wrth i'w choesau boncyffiog ei lenwi'n llawn fel sosejys. Gwthiodd rannau o'i bronnau, a fynnai wasgu allan rownd ymylon ei bra, yn ôl i'w lle fel pe bai hi'n ceisio trechu deddfau ffiseg drwy wasgu mwy na'u llawnder eitha posib i mewn i'r ddau gwpan lesiog mawr. Ymwthiai ei bol allan uwchben botwm y trowsus gan fygwth ei oroesiad a fflapiai'r cnawd o dan dopiau ei breichiau wrth iddi estyn am y top blodeuog, pabellaidd ei faint, y gobeithiai guddio'r cnawd ag e. Roedd yr ymdrech i wisgo yng ngofod bychan y garafán yn gwneud iddi bwffian.

Daliodd lygaid Glyn yn syllu arni.

'Lle ma dy feddwl di, Glyn bach?' gwenodd yn awgrymog. 'Do's dim digon o le i ti ga'l dy bwdin man 'yn wthnos 'ma. Bydd rhaid iddo fe gadw tan ewn ni gatre.'

Dim pwps na phish na phwdin. A da hynny, meddyliodd Glyn. Doedd dim ymhellach o'i feddwl na phwdin ar yr union eiliad honno.

Treuliodd y Difa hanner awr yn gwisgo'i hwyneb o flaen y drych ar ddrws y gawod, cyn hel ei stwff i'w bag, gwagu ei phledren (ei phisho hi ddim yn gwynto cynddrwg â'i un fe, mae'n rhaid) a gadael.

Tynnodd Glyn y *briefcase* newydd o fŵt y car wrth ei gwylio'n camu'n ofalus yn ei hesgidiau gwyn dros laswellt y maes carafannau. Aeth yn ôl i'r garafán a gosod ei ffeil ymchwil ar y bwrdd. Agorodd y pad papur newydd, a brynasai'n arbennig ar gyfer rhoi cychwyn ar ei bennod gyntaf, a daeth ton o ddiflastod drosto. Lle'n union oedd dechrau? Yn y dechrau, ymresymai ag ef ei hun. Ond roedd wedi hen benderfynu peidio bod yn gronolegol, yn hytrach neidio o un cyfnod i'r llall yn ôl gofynion y stori, fel y gwnâi'r awduron mwya dyfeisgar.

Beth yn union *oedd* gofynion y stori, holodd ei hun wedyn. Carwriaeth, atebodd. Cychwyn yng nghanol y garwriaeth, union graidd y nofel, meddyliodd. Cychwyn yng nghanol golygfa garu, Dafydd ar ben y ferch 'ma – Iesu, roedd e angen enw iddi – a golygfa lawn stêm i ddal y darllenydd. Cnawdoli'r gorffennol dieithr, dangos mai dyn fel fe, fel y darllenydd, oedd Dafydd, a bwlch y canrifoedd ddim yn eu gwahanu wrth ei weld yn cnychu – beth yw ei henw hi? – ac yn sibrwd pethau melys yn ei chlust. Fe ddisgrifiai gyrff ifainc y ddau wrth iddyn nhw ymgordeddu'n nwydwyllt ar wely o ddail.

Daeth llun o floneg y Difa i'w feddwl ar draws ffilm bornograffig ei ddychymyg gan roi stop sydyn arni. Gwydraid o win fyddai'n dda.

Ceisiodd eistedd yn gyffyrddus yn ei sedd, ond roedd bwrdd bach y garafán yn gwthio yn erbyn ei fol. Ystyriodd gau'r bwrdd a gosod y gwely fel y gallai ysgrifennu ar ei orwedd ond gwyddai fod peryg iddo gysgu wrth wneud hynny. Ystyriodd fynd allan i'r adlen i ysgrifennu, ond gallai honno fynd yn anioddefol o boeth. Tu allan? Cadair haul a phad ysgrifennu ar ei lin, het haul – ond beth pe bai rhai o'i gydnabod yn ei weld a dechrau holi beth oedd e'n ei wneud?

Edrychodd ar y dudalen wag, a gostyngodd y pen inc yn ei law i ysgrifennu 'Pennod Un' ar ei brig, ond ymataliodd a tharo'r pen i lawr ar y bwrdd yn grac. Tasgodd dafn o inc ohoni a llechu ar flodyn *burgundy* ym mhatrwm defnydd y sedd gyferbyn ag e. Cododd i'w sychu â chlwtyn o'r sinc, ond rhoddodd y gorau iddi wrth weld nad oedd ganddo obaith yn y byd o gael ei wared.

Ochneidiodd, a cheisio clirio'i ben. Y pethau cyntaf yn gyntaf. Enw i'r ferch – nid enw Ffrangeg: roedd wedi rhoi'r gorau i'r syniad mai Ffrances oedd gwir gariad Dafydd. Na, gallai fod yn forwyn i Morfudd a Robin Gam, cadw pethau'n dynn, o fewn y teulu fel petai – yn sicr o fewn ei allu a'i reolaeth e fel awdur. Wedyn, rhaid meddwl am frawddeg gyntaf dda, a pharagraff cyntaf bachog, rhyw ragarweiniad bach i'r olygfa garu rhwng Dafydd a bechingalw.

Dyna welliant. Sylweddolodd Glyn ei fod yn meddwl yn well ar ei draed – wedi hir oes o fyw gyda'r Difa, mae'n debyg – a phenderfynodd fynd am dro. Dyna oedd ei angen arno. Cerdded i yrru'r ocsijen drwy ei gorff a'i feddwl, i greu'r frawddeg gyntaf, y pargraff cyntaf a fyddai'n rhwydo'r darllenydd. Estynnodd y pad bach nodiadau o boced y *briefcase*, a beiro ac arni gapan. Stwffiodd y llyfr nodiadau i boced frest ei grys a gosododd y feiro'n sownd yn yr un lle gerfydd ei chapan. Gosododd y ffeil nodiadau a'r pad A4 dilychwin yn ôl yn y *briefcase* a chloi'r clo, cyn mynd allan a chloi'r garafán ar ei ôl.

★

Roedd Stryd Fawr y Bala o dan ei sang, a heidiau o rai iau eisoes wrthi'n yfed a smocio tu allan i'r tafarnau. Ceisiai ambell eisteddfodwr mwy piwritanaidd ei olwg weu ei ffordd yn gelfydd rhyngddynt heb gael ei wlychu gan gynnwys y gwydrau peint na'i fygu gan fwg sigarets.

Syniad da oedd dod am dro. Eisoes, rhwng y maes carafannau a cherflun Tom Ellis, roedd e wedi dewis Gwawr yn enw ar forwyn Dafydd. Enw agos at y darllenydd, yn ei chario hi o fyd ddoe at heddiw dros bont y canrifoedd, enw a awgrymai ddechreuad, ieuenctid a gobaith. Ni allai Glyn fod mor siŵr pam y cariodd ei draed e tuag at gyffro calon y Bala yn hytrach nag allan i'r wlad a'i thawelwch, ond bid a fo am hynny: roedd brawddeg gyntaf ei nofel wedi dechrau ymffurfio yn ei ben...

Gwelodd y White Lion, a chroesodd y ffordd i'w hosgoi gyda'r bwriad o gerdded i gyfeiriad y llyn. Câi lonydd yno i saernïo'r paragraff cyntaf allweddol. Gwthiodd drwy dyrfa o bobl o gwmpas y caffi a throdd i'r chwith o'u ffordd.

Daeth wyneb yn wyneb â cherflun yr hen Domas Charles. Beth wnâi e o'r lliaws meddwol, rhyfygus a staeniai'r Saboth yn ei dre, tybed? Pa un fyddai e pe bai e yma nawr, meddyliodd Glyn – y llencyn meddw'n sugno ar ffag yn nrws y dafarn, neu'r piwritan trwynsur a geisiai wthio'i ffordd rhwng y peints?

Damio Thomas Charles, ceryddodd Glyn ei hun, nofel am Ddafydd ap Gwilym yw hi. Tynnwyd ei feddwl yn ôl at y White – peint fyddai'n dda. I iro cogiau'r ymennydd a'r Difa'n ddiogel ar y maes. Peint bach, cyn mynd yn ôl i'r garafán i ddisgwyl ei dychweliad a'i rhestr o drueiniaid y bu'n rhaid iddynt stopio i siarad â hi.

Trodd ar ei sawdl i gyfeiriad y White Lion.

★

Talu am ei beint oedd e, gan edrych o'i gwmpas drwy drwch y dyrfa rhag iddo ddigwydd gweld Heulwen neu Dan, pan laniodd llaw ar ei ysgwydd a gwneud iddo neidio.

'Glyn Bach! Gyrhaeddest ti!'

Twm Bas, gyda Nigel Pwll tu ôl iddo. Daliai Twm beint yn ei law, a thri arall yn ei fol, yn ôl tystiolaeth y bochau coch. Trodd Glyn i'w gyfarch.

'O'r diwedd, 'chan!'

Cyfarchodd Nigel e drwy godi ei beint a hwnnw bron yn wag, gan ffugio diniweidrwydd wedyn pan gynigiodd Glyn brynu un arall iddo.

'Der â un i finne 'fyd 'te,' gwelodd Twm ei gyfle. 'Ma dyn

yn sobri wrth giwo, a shwt gymint o bobol 'ma.'

Talodd Glyn am y tri pheint a'u cario at y bwrdd lle roedd y ddau eisoes wedi gwneud eu gwâl am y prynhawn – a chyda'r nos hefyd, fe fetiai Glyn.

'Beth yw'r ffansi dres?' holodd Twm wrth i Glyn wthio'i ben-ôl i mewn rhyngddynt.

'Ffansi dres?'

'Nôt-bwc copyr,' amneidiodd Twm at y pad bach a'r feiro ym mhoced frest crys Glyn.

'O… Dilys oedd moyn i fi neud list siopa,' meddai'n llawn celwydd. Nid oedd am ddatgelu dim am ei nofel wrth ei ddau gyfaill yn y côr; ni wnâi'r ddau ond tynnu ei goes.

'Nofel arall?' gwenodd Twm wrth weld trwyddo fel trwy wydr.

'Iesu, na,' ebychodd Glyn.

'Lle ma'r garafán 'da ti?'

'Bac o biond wrth y co'd. Dilys bach yn ddrwg 'i hwylie ambutu 'ny. Ti? Lle ma dy dent di?'

'Gyferbyn â'r toilets,' gwenodd Twm yn falch ohono'i hun. 'A Nigel a Sally drws nesa 'da'u carafán.' Diawliaid lwcus. 'Cyfleus i'r plantos.'

Doedd gan Twm ddim plantos na gwraig. Ond roedd gan Nigel Pwll lond tŷ – llond carafán yr wythnos yma – o epil rhwng y blwydd a deuddeg oed, digon i gadw Sally rhag poeni lle roedd ei gŵr yn hel ei draed: haws hebddo nag o dan ei thraed hithau.

'Dim ond un, mynd wedyn,' gosododd Glyn ei stondin wrth y ddau rhag iddynt ei demtio i wneud sesh ohoni. Doedd e ddim am golli'r ychydig diciau a enillasai dros y ddeuddydd diwethaf mewn un sesiwn a hithau ddim ond yn ddydd Sul.

Ac roedd ganddo'r nofel i'w…

'Y bòs yn gweud?' gwenodd Twm.

'Y bòs yn gweud,' cyfaddefodd Glyn.

Holodd Glyn beth oedd hynt a helynt aelodau eraill y côr
– oedd 'na sôn bod rhai am lanio cyn dydd Sadwrn, diwrnod
y gystadleuaeth? Gwyddai fod ymarfer yn y dre nos Wener,
ond go brin yr âi e na Twm na Nigel yn ôl yn unswydd ar ei
gyfer. Ychydig o eisteddfodwyr pybyr fel nhw'u tri oedd yn
aelodau o'r côr.

Câi Glyn ei hun yn gwylio'r dyrfa yn mynd a dod wrth
y bar, gan wybod mai edrych am Heulwen a Dan roedd e,
neu'n hytrach gadw llygad rhag cael ei ddal ganddyn nhw.
Doedd ganddo ddim awydd eu gweld. Ond roedd ei draed
wedi'i gario i'r White, meddai wrtho'i hun, ac nid oedd yn
gallu cysoni'r peth rywsut. Ac eto, er mai yn y fan hyn roedd
y ddau'n aros, nid oeddynt yn debygol o ddod yn agos at y
bar: ni allai weld Heulwen yn ei lelog a'i harian yn cymysgu
â'r werinos chwyslyd yn eu jîns a'u staeniau cwrw. Byddai
ganddi lefydd tipyn mwy chwaethus, a sgyrsiau llawer mwy
uchel-ael i'w denu i rywle arall.

''Wy whant â mynd am gewc i'r Maes Bi nes mla'n, wedi
i fi leino bach mwy ar 'yn stumog,' cyhoeddodd Twm gan
orffen ei beint.

'Maes Bi? Pethe ifanc sy fan 'ny,' meddai Nigel.

Cododd Twm ei aeliau a gadael i'w wên a disgleirdeb ei
lygaid ateb drosto. Safodd ar ei draed ac anelu at y bar.

'Tri o'r un peth,' meddai, yn hytrach na gofyn.

'Ddim i fi. Bennu hwn a mynd,' meddai Glyn yn
bendant.

'Beth sy'n bod arnot ti 'chan? Ma hi'n wthnos Steddfod!'

grwgnachodd Twm. '*Fytith* hi ddim o ti, ti'mbo.'

Doedd Glyn ddim mor siŵr o hynny, ond roedd Twm eisoes yn ciwio wrth y bar. Dau, a 'wy'n mynd, meddai wrtho'i hun.

'Maes Bi?' trodd at Nigel yn anghrediniol.

'Ti'n nabod Twm,' meddai Nigel yn ddi-hid.

'Ma fe bron yn drigen!'

'Ac yn singl,' ochneidiodd Nigel. 'Rhwbeth yn reit *attractive* yn y pen moel 'na, er mai ddim fi sy'n gweud.'

'Mochyn budur,' dyfarnodd Glyn a llyncu chwarter ei beint er mwyn dal lan rhywfaint.

Tynnodd Glyn ei law'n reddfol dros ei batshyn moel yntau. Clywodd lais Twm wrth y bar yn codi canu... 'Wele'n sefyll rhwng y myrtrwydd...' a'r dyrfa'n ymuno ag e'n frwd nes bod y dafarn gyfan fel un côr ymhell cyn diwedd yr ail linell. Peint arall, a 'wy'n mynd, ailadroddodd Glyn wrtho'i hun gan ymuno i ganu'r emyn.

10

Safai'r tri wrth ddrws y White, bob 'i beint – y pedwerydd neu'r pumed? – yn eu dwylo, yn morio canu. Roedd aelodau o gorau eraill ymhlith y dyrfa, yn ogystal â dwsinau o rai iau. Tynnodd Glyn ar y sigarét a gawsai gan Twm a theimlo'n chwil yn yr haul diwedd y prynhawn. Teimlai fel pe bai'r Bala i gyd yn canu. Dyma *oedd* Steddfod. Y dref gyfan yn warchae o ganu a photio, yn un côr, un enaid o hwyl. Hen ac ifanc, Maes Bi, Ec, Di ac Edd yn foddfa o nodau a chwrw. Câi'r trwynsur eu pafiliwn, ond yn y fan hon roedd y steddfod go iawn. Dim cystadlu, ond *cyd*ganu, uno, yn ogs a hwntws, heb ffiniau i wahanu'r gwych rhag y gwachul, na beirniaid i sbwylio'r sbort. Ambell i ffeit, ie, ond beth oedd hynny ond cnawd yn cyffwrdd cnawd? Ambell i reg, ie, ond clustiau byddar oedd gan Thomas Charles a Tom Ellis, ac roedd y beibilgarwyr yn saff yn eu capeli neu yn eu pebyll rhag nodau emynau'r lyshgarwyr a'u rhyfyg. *Dyma* oedd steddfod!

'Rownd Nigel,' dyfarnodd Twm, a throdd Nigel i mewn i'r dafarn heb gwestiynu gan luchio stwmp ei ffag cyn mynd.

Cododd ton arall o 'I bob un sy'n ffyddlon' dros y Stryd Fawr a theimlodd Glyn lais bas grymus Twm yn siglo'r pafin o dan ei draed gan foddi ei denor ansicr ef.

Daeth yr emyn i ben gyda bloedd o gymeradwyaeth gan y dorf i'w canu eu hunain, a gallent glywed eu hunain yn siarad unwaith eto.

'Llion yn 'i chanol hi 'te,' meddai Twm wrth ei ochr.

'Creist, shwt wyt ti'n gwbod?' Trodd Glyn ato wedi dychryn.

'Adar bach y dre,' meddai Twm. '*Reit* yn 'i chanol hi tro 'ma 'fyd, yn ôl fel dw i'n glywed,' ychwanegodd.

'Ddaw e drwyddi,' meddai Glyn a'i lais yn bradychu ei ddiffyg argyhoeddiad.

Os oedd *Twm* yn gwybod…

'Bydd e'n lwcus i gadw mas o'r cwb,' meddai Twm wedyn, ond heb ddim ysgafnder bellach. Ei dweud hi fel mae hi. 'Bach o sioc i chi i gyd 'wy'n siŵr.'

'O'dd.' Chi. Doedd dim 'chi'. Doedd y 'chi' ddim yn gwybod eto. 'Twm…' meddai Glyn, gan obeithio bod digon o apêl yn ei lais i gario drwy'r cwrw ym mrên Twm. 'Dim gair wrth Dilys.'

''So hi'n *gwbod*?' Fflachiai llygaid Twm.

'Ddim 'to.'

'Ma'r stori'n drwch drwy'r dre,' rhybuddiodd. 'Falle bydde hi'n syniad i ti weud wrthi.'

''Wy ddim moyn sbwylo'r Steddfod iddi,' meddai Glyn yn wan. Swniai, fe wyddai, fel plentyn bach yn hel esgusodion rhag llid ei rieni. Ond dduw mawr, plentyn bach *oedd* e wyneb yn wyneb â llid y Difa.

'Ti moyn i fi weud wrthi? Galli di esgus bach bo ti ddim yn gwbod.'

'Ffacin hel, Twm! Na! Paid gweud gair wrthi. Weda *i*. Yn 'yn amser 'yn hunan!'

'Wel, treia neud 'ny *cyn* i'r achos fod yn y papur 'te,' cynghorodd ei gyfaill.

'Mewn cariad ma'r crwt,' ceisiodd Glyn esbonio.

'Ddim mewn cariad 'da Richard Evans, weda i 'ny,' meddai Twm. 'Cofia di, o beth 'wy'n glywed am hwnnw, fe alle cwpwl o glowts neud byd o les iddo fe.'

Cododd ton o 'Calon Lân' dros unrhyw obaith o barhau'r sgwrs ac erbyn diwedd yr emyn a hanner y peint nesa o law Nigel, roedd Glyn wedi anghofio am Llion Hedd, a'i galon wedi llenwi eilwaith â chariad a brawdgarwch tuag at ei gydlymeitwyr a oresgynasai'r Bala.

★

Gwelodd hi'n nesu drwy ganol haid o ferched meddw dan oed, a'i feddwl cyntaf oedd troi am ddrws y White a diflannu i mewn. Ond roedd hi wedi'i weld e'n barod, a'i hwyneb llawn storm yn dynesu tuag ato. Gwelodd Twm hi'n dod hefyd.

'Dilys! Croeso i'r Bala!' cyhoeddodd yn uchel. 'Beth ti moyn? Peint bach i griso'r tonsyls? Gallwn ni neud 'da mwy o altos.'

''Nôl!' gwaeddodd y Difa ar Glyn gan anwybyddu Twm. Pwyntiai i gyfeiriad y maes carafannau fel pe bai e yn y fath gyflwr fel na allai gofio o lle doth e. Camodd Twm naill ochr o'i ffordd a gwarchod ei beint rhag ei thymer. 'Yr eiliad 'ma!'

Teimlai Glyn ddigrifwch Twm a Nigel o bobtu iddo yn ei herio fe i'w gwrthsefyll hi.

'Jyst bennu'r peint 'ma...' Anelodd y gwydryn at ei geg, ond roedd y Difa wedi gafael ynddo a'i dynnu o'i law. Heb edrych ar Twm, estynnodd y Difa'r peint i'w gyfeiriad a chymerodd yntau ef yn ei law rydd heb feiddio dadlau.

'I'r garafán! Nawr!' gwaeddodd y Difa nes bod pennau'n troi i edrych arni. Damia, lle roedd yr emynau pan oedd dyn eu hangen nhw? Penderfynodd Glyn ei dilyn rhag tynnu mwy o gywilydd ar ei ben. Baglodd dros siwmper ar lawr a chymerodd hithau hynny fel arwydd pellach o'i feddwdod. Gafaelodd yn dynn yn ei fraich nes gwneud iddo wingo, a'i dynnu ar ei hôl oddi wrth y dafarn.

'Wela i di, Twm... Nigel...' galwodd Glyn o'i ôl gan geisio adfer rhywfaint o'i hunanfeddiant. Gallai deimlo Twm yn chwerthin i mewn i'w beint wrth wylio'r dyn bach yn cael ei fartsio ymaith gan ei ddraig o wraig a'i thin mawr.

''Wy wedi bod yn whilo *bobman* amdanot ti!' hanner sgrechiodd y Difa wrth ei dynnu gerfydd ei fraich heibio i Dom Ellis ac allan o dre eisteddfodgar y Bala i gyfeiriad y carafannau. 'Potio! 'Na i gyd sy ar dy feddwl di!'

Doedd dim pwynt dadlau. Ni wnâi hynny ond tynnu mwy o sylw. Wrth weld nad oedd yn dadlau, gollyngodd ei fraich. Rhwbiodd Glyn hi, a dilyn dri cham y tu ôl i'w wraig. Tawodd hithe o'r diwedd a chroesodd y ffordd o'i flaen.

Troi i mewn i'r maes carafannau oedden nhw pan welodd Glyn fod Heulwen a Dan yn dod tuag atynt. Dim nawr, sgrechiai ei lais yn ei ben, dim a fi'n hanner caib a hon â'i hinjan ar dân.

Ond roedd y Difa wedi plastro gwên lydan dros ei hwyneb, ac yn cyfarch y ddau yn fêl i gyd fel pe na bai dim o gwbl o'i le a bod ei gŵr mor sobor â sant.

'Heulwen a Dan,' trwmpedodd, fel pe na bai wedi'u gweld ers oes yn hytrach na dim ond wyth awr ynghynt.

'Wedi bod am dro bach,' gwenodd Heulwen arni. Trodd Dan i archwilio'r carafannau agosaf at y ffordd. 'Gweld hi'n braf. Dach chi 'di setlo yn y garafán?'

'Do wir, ac wedi bod ar y maes,' ymffrostiodd y Difa. '*Fi* felly. Cymysgu 'da'r pethe ifanc yn y tafarne fuodd Glyn.' Bron na allai weld y sen nawddoglyd yn diferu i lawr dros ei thrwyn wrth iddi siarad.

Tybiodd Glyn iddo weld cysgod gwên letach na'r wên fodlon arferol ar wefusau Heulwen.

'Dowch draw am wydraid o win,' mynnodd y Difa heb roi lle i ddadl.

'Dwn i'm wir, ma gin i betha...' dechreuodd Heulwen cyn i'r Difa dorri ar ei thraws.

'Dowch wir, 'mond un, i chi ga'l gweld lle y'n ni.'

'Wel...'

Ac roedd hynna bach o ddiffyg penderfyniad wedi'u rhwymo'n gaeth i ddymuniad y Difa.

'Ma hi'n noson braf, ac ry'n ni'n agos – wrth y co'd yn fyn'co. Un gwydred bach o win.' Daliai ati fel gefel.

Trodd Heulwen at Dan. Anadlodd yntau'n ddwfn.

'Cer di,' meddai hwnnw wrth Heulwen. Roedd ei lais yn llawn diflastod.

'Na, na, y ddau ohonoch chi,' meddai'r Difa.

Pam na allai hi adael llonydd iddyn nhw? Er ei fod yn llawn o gwrw, gallai Glyn weld Dan yn anadlu'n ddiamynedd. A hithau'n sobr, sut na allai'r Difa nabod anfodlonrwydd pan ddôi wyneb yn wyneb ag e? Doedd y dyn ddim eisiau dod yn agos at eu carafán, roedd hi'n amlwg wrtho, yn amlwg i ymennydd niwlog Glyn hyd yn oed. *Pam* na adawai hi i bobl gael y rhyddid i'w gwrthod weithiau?

Trodd y Difa i mewn i'r maes carafannau gan ddisgwyl i'r tri arall ei dilyn yn ufudd, ddiddadl.

A dyna a wnaethant.

★

'Drinc bach yn yr adlen. Beth sy'n fwy gwaredd?' datganodd y Difa o waelod ei gwddw wrth estyn bob 'i wydraid o win i'r ddau ymwelydd. Ni chafodd Glyn gynnig un.

'Diolch,' meddai Heulwen.

'Diolch,' mwmiodd Dan, wedi i Heulwen daflu edrychiad o rybudd i'w gyfeiriad.

'Wythnos fowr o'ch bla'n chi,' meddai'r Difa i lenwi'r tawelwch a ddisgynnodd wrth i'r tri flasu'r gwin. Llowcio wnaeth Dan wrth weld dihangfa ar waelod ei wydryn.

'Noson gynnar heno,' meddai Dan gan sychu ei geg yn ei lawes.

'Wythnos o losgi'r gannwyll yn y ddau ben, dyna 'di

Steddfod yntê?' meddai Heulwen yn llawen ac anelu gwên i gyfeiriad Glyn ddi-wydr-gwin yr ochr draw i'r bwrdd yn y gornel a deimlai fel petai wedi'i roi mewn cut ci.

'Ti ddim moyn pen tost wrth draddodi barddonieth y Goron,' meddai Dan yn sychlyd wrth Heulwen.

'Beirniadeth,' cywirodd Heulwen. 'Traddodi *beirniadeth* y Goron.'

'*Whatever*,' mwmiodd Dan.

'Pwy 'se'n meddwl? Heulwen fach Ty'n yr Ardd yn cyrra'dd y fath uchelfanne!' canodd y Difa.

'Ma lot wedi digwydd ers Ty'n yr Ardd,' meddai Heulwen yn ddidaro.

''Se'n well i ni beido bod yn hwyr,' eisteddodd Dan ymlaen yn ei gadair a llowcio cegaid arall o'i win.

Heulwen fach Ty'n yr Ardd. Gallai'r Difa fod mor nawddoglyd – heb drio bod, yn aml. Cofiai Glyn Heulwen fel roedd hi, cyn iddi fynd yn ôl i'r coleg ac ennill ei doethuriaeth, cyn iddi ddod yn ddarlithydd, yna'n uwch-ddarlithydd, yn fardd, nofelydd a beirniad, yn awdurdod ar y cyfryngau ar lenyddiaeth gyfoes, ar y ddrama yng Nghymru. Yn wir ar unrhyw bwnc y tybiai'r BBC, neu bwy bynnag, y byddai'n well gan y werin datws ei glywed yn cael ei drafod gan wyneb hardd menyw a chanddi syniad am ffasiwn, menyw liwgar ym mhob ffordd, na chan ryw bwndit siwtiog, sbectolog, diflas. Hi bellach oedd wyneb ein llên gyfoes. A chwarter canrif yn ôl, beth oedd hi? Gwraig tŷ a mam, a'i gŵr yn ennill ei dipyn fel rhyw gyw lyfrgellydd ac yn dysgu iaith ei fro. Gwraig tŷ, a'i byd yn gyfyngedig i'r tu mewn i'w phedair wal, cloddiau'r clwt o ardd, a byd ei merch fach. Heb unrhyw uchelgais i wneud dim ond mwynhau'r tŷ, yr ardd a'r ferch fach a heb unrhyw awydd am anelu'n uwch. Byddai wedi gwneud defnydd o'i gradd a'i blwyddyn o ymarfer dysgu wrth gael swydd athrawes yn y man, wedi i'r un fach hen setlo yn yr ysgol. Dysgu Cymraeg mewn ysgol uwchradd, fel Glyn ei hun, a'r cortyn am ei byd yn agos, glòs. Hi, fe a'r ferch fach.

A dyma hi nawr, yn flodeuog fawr drwy bopeth, yn lliwgar wenog ar y sgrin, ar y radio, ar lwyfan ger bron y genedl, yn awdurdod, yn un o drysorau llên, yn Heulwen hapus hwyliog, yn *rhywun*!

Byr iawn iawn yw'r amser sydd ei angen i drawsnewid gweddill ein bywydau, meddyliodd Glyn.

'Be 'di'r stori?' holodd Heulwen gan edrych i'w gyfeiriad. Roedden nhw wedi bod yn siarad amdano, ac yntau heb wrando gair. Ceisiodd dynnu edefynnau eu siarad i mewn ato fel pe bai'n pysgota geiriau o bwll eu sgwrs eiliadau ynghynt. Rhywbeth am ei nofel...

'Y brenin ei hun, 'rhen Ddafydd ap. Be sgin ti hyd yn hyn?'

'O. Y... dim byd.'

'Dim byd, wir,' wfftiodd y Difa. 'Ti wedi bod â dy ben yn dy bapure a dy lyfre ers miso'dd.'

'Dal i weitho arni,' meddai Glyn. 'Y stori.'

Deallodd Heulwen nad oedd am siarad am ei waith. 'Mi ddaw pan ddaw, ia?' gwenodd arno'n gefnogol. 'Dydi pawb ddim am ddatgelu gormod.' A thyngodd Glyn iddo'i gweld eto'n lluchio edrychiad bach at Dan wrth iddi eistedd yn ôl yn y gadair haul.

'Shwt le sy gyda chi yng Ngha'rdydd 'na?' holodd y Difa'n fusnes i gyd. 'Tŷ mowr siŵr o fod. Tai neis yng Ngha'rdydd. Un o'r tai Fictoria 'na s'da chi? 'Da'r *bay-windows* pert 'na?'

'Ia,' atebodd Heulwen.

'Ar hyn o bryd,' ychwanegodd Dan.

'O? Chi'n meddwl symud?' gofynnodd y Difa a'i llais yn llawn diddordeb. 'I'r Fro ewch chi? Llefydd neis ofnadw yn y Fro.'

Gallai Glyn ei dychmygu hi'n eu gosod nhw drws nesa i Beti George mewn anferth o *barn-conversion* yng nghanol tiroedd ffrwythlon Bro Morgannwg.

'Nage…' dechreuodd Dan.

'Tydan ni heb benderfynu eto,' meddai Heulwen ar ei draws. Llyncodd Dan gegaid arall o'i win – roedd y gwaelod yn agosáu.

'Ma lot o bobol yn symud i'r Fro er mwyn magu'u plant y tu fas i'r ddinas,' meddai'r Difa, gan sylweddoli'n syth iddi wneud cam gwag. 'Hynny yw,' ychwanegodd yn frysiog, gan faglu dros ei thafod, 'ddim mai dyna'r *unig* reswm dros symud i'r Fro, ddim jyst os o's 'da chi blant – chi'n gwbod beth s'da fi…'

'Yndw,' meddai Heulwen yn bwyllog.

'Cau dy geg, Dilys.' Methodd Glyn â dal. Roedd y cwrw'n pwnio drwy wythiennau ei ben.

'Na, Glyn,' pwysodd Heulwen ymlaen tuag ato yn ei chadair. 'Gad i ni ga'l un neu ddau o betha'n strêt. Dwi 'di ca'l chwartar canrif o bobol yn dawnsio rownd 'u geiria, yn trio osgoi siarad am yr eliffant yn y stafall. Ma'n bryd stopio rŵan, ti'm yn meddwl? Dechra siarad am yr eliffant. Os mai dyna be ddyliwn i 'i alw fo. Siarad am Megan, a marwolaeth Megan. Gas gin i bawb yn trio siarad am bob un dim heblaw hi, ac yn mynd yn annifyr reit yn 'yn cwmni ni'n dau o'i hachos hi. Ma chwartar canrif yn llawn digon, diolch. Dach chi ddim yn arbed dim ar 'yn teimlada ni drwy osgoi be ddigwyddodd. Ma'n ffrindia fi 'di hen ddallt hynny. A diolch, Dilys, am fod mor barod i siarad amdani.'

'Wel, ym, 'nes i ddim, wel… chi 'mbo.'

Doedd Glyn erioed wedi'i gweld hi'n bustachu cymaint i ddod o hyd i'w geiriau o'r blaen. Ond roedd hi'n sythu'n falch yn ei sedd hefyd wrth dderbyn diolch y Dr Heulwen Pears, beth bynnag am y cwlwm ar ei thafod.

Ar hynny, cododd Dan a tharo'i wydryn gwag ar y bwrdd haul yn yr adlen.

'Reit!' Trodd at Heulwen, yn fwy bywiog nag y gwelsai Glyn ef drwy'r dydd. 'Amser i ni'i throi hi.'

'Dwi'm 'di gorffan…' dechreuodd Heulwen.

Gafaelodd Dan yn ei gwydryn a oedd bellach bron yn wag a'i daro wrth ochr ei wydryn ef ar y bwrdd bach.

'Diwrnod mawr fory,' meddai'n bendant heb roi unrhyw le iddi ddadlau.

Aeth y ddau allan o'r adlen, yn gadael bron cyn iddyn nhw lanio, a'r Difa'n clwcian ar eu holau ynglŷn â 'galw eto', 'mynd am bryd bach o fwyd', a 'phob hwyl fory; fe fydda i yn y pafiliwn', gan adael Glyn yn meddwl am eiriau Heulwen, ac am Dan.

★

A'r haul wedi machlud o'r diwedd, a'r Difa'n ddiogel o'r ffordd yn ei gwely, tynnodd Glyn y *briefcase* tuag ato a'i agor. Gwyddai'n iawn fod ei ben yn dal i droi gormod iddo allu meddwl am lunio brawddeg a pharagraff agoriadol i'w nofel, heb sôn am greu golygfa garu rhwng Dafydd a Gwawr. Agorodd botelaid o win, gan gau ei ddwrn am y corcyn wrth ei dynnu allan rhag deffro clustiau'r Difa. Yfodd o'r botel rhag dwyno gwydryn.

Gwawr. Roedd e un gair, un enw, yn agosach at y lan.

Roedd hynny'n rhywbeth. Ysgrifennodd yr enw ar frig y ddalen, a chrafu llinell drwy 'Pennod Un'.

Chwyrlïai'r White a'r emynau drwy ei feddwl, yn ogystal â Heulwen, Dan a'r alcohol. Er gwaetha'r mymryn o benstandod a barai'r pump neu chwech o beintiau yn ei system iddo, croesawai'r alcohol. Roedd hi'n haws cadw cwmni â rhai o'i feddyliau wrth i hwnnw lyfnhau rhywfaint ar eu hymylon mwya garw. Nid drychiolaethau mohonynt ac yntau'n feddw. Gallai oddef eu dal a'u troi yn ei ben, yr atgofion, a'r blynyddoedd a fu, yn ogystal â heddiw. Eu mygu a wnâi pan oedd yn sobr. Yma nawr a'r Difa'n cysgu roedd am eu hwynebu, a'u goddef.

Pe bai'n gallu datod y cwlwm cnotiog, garw, byddai wedi gallu creu ystafelloedd ar wahân i'w feddyliau, a'u gwneud yn llai o broblem drwy eu gwahanu.

Ond un carbwl mawr oedd yn ei ben, un trybestod o'r Difa, a Llion, diflastod ei swydd, ei ludded, ei fethiant...

Oes o ddim. Ac wedyn, dim. Ar adegau fel hyn, ceisiai restru'r hyn a gyflawnodd, adio un peth at rywbeth arall er mwyn ceisio cael mwy. Ond roedd adio un ac un bob amser yn llwyddo i drechu deddfau mathemateg yn ei ben – a chyrraedd dim. Bob tro. Dim.

Ceisiodd yrru ei feddyliau ar ffo – nid adeg i ddechrau hel meddyliau oedd wythnos Steddfod. Wythnos i osgoi meddwl oedd hi i fod. Seibiant rhag y chwysu oer drwy'r nosweithiau effro.

Roedd bai ar y Difa – fel bob tro – yn ei fychanu gynnau o flaen Twm a Nigel a phawb yn y Bala. Hi a'i ffŷs. Gallai odde llawer, ond roedd 'na ben draw. Penllanw.

Oedd 'na? Gwasgai Llion arno, yn bwys corfforol bron ar ei stumog, neu falle mai'r cwrw oedd ar fai am hwnnw. Sut roedd dweud wrthi, heb droi'r gert? Oedd *posib* dweud wrthi heb droi'r gert? Yno i'w throi *oedd* y gert.

Edrychodd ymhellach i mewn i'w hunan am bethau na allai byth eu crybwyll wrth y Difa. Treiddio yn is i mewn i'w hunan hyll at y lluniau yn ei ben roedd mor gyfarwydd â nhw fel ei fod yn gallu eu henwi, fesul un, a'u cyffwrdd a'u troi, a'u llurgunio'n fwystfilod gwaeth a gwaeth o hyd.

Meddyliodd am y Difa yn hofran o gwmpas Heulwen fel pryfyn at bot jam, fel gwyfyn mawr tindrwm yn tynnu at ei goleuni.

Teimlodd ei bledren yn gwasgu'n drwm a chododd yn llafurus o'r gadair haul.

Roedd â'i law ar gatsh drws y garafán pan wthiodd pen Twm Bas i mewn drwy ddrws yr adlen.

'Glyn 'chan!' sibrydodd yn uchel. 'Ar ben d'hunan wyt ti?'

'Sh,' rhybuddiodd Glyn gan bwyntio at ddrws y garafán.

'Gesht ti shymyns bach yn shydyn gynne,' meddai Twm gan hofran yn fregus a'i law ar bolyn traws yr adlen i'w sadio. 'Ffanshïo un bach arall yn y tent cyn nosh...' hicypiodd, 'nosh... wyl... io?'

Cysgai'r Difa fel twrch. Anelodd Glyn allan y tu ôl i Twm gan gofio am y botelaid o win.

Câi wagiad yn nhoiled y maes carafannau ar ei ffordd i babell Twm, fel na châi'r Difa ei ddihuno'n blygeiniol i wynt sur ei bisho wrth baratoi am y maes.

11

'Glyn! Helpa fi!'

Edrychodd Glyn o gwmpas y babell. Doedd bosib na allai un o'r dynion eraill a eisteddai'n llywaeth ufudd wrth ochr eu partneriaid godi bys bach? Ond fe Glyn oedd gwrthrych gorchymyn y Difa. Safai'n fadam awdurdodol wrth ymyl y Delyn demlaidd ei maint ym mhen pella'r babell. Cododd Glyn yn ofalus gan geisio cadw cynnwys ei stumog lle roedd i fod. Cerddodd i gyfeiliant y pwnio yn ei ben i gyfeiriad yr offeryn. Ceisiodd ei thipio a'i gwthio yn ei blaen gerfydd ei holwynion ond rhwystrai'r llawr anwastad ei llwybr. Gafaelodd yn ei blaen a cheisio'i chodi. Dawnsiai'r patrymau cain dros yr *extended sound-board* o flaen ei lygaid a meddyliodd pa waeth anffawd a allai ddigwydd na phe bai'n chwydu ei berfedd dros y pren sgleiniog hwn. Daeth dyn arall ato i gymryd hanner y pwysau a rhyngddynt llwyddwyd i symud y delyn i'w phriod le wrth ochr y llwyfan lle roedd y gyfeilyddes wedi gosod ei stôl. Sythodd Glyn a theimlo'i ben yn hollti.

Y Difa oedd wedi penderfynu bod yn rhaid iddyn nhw fod yno'n wirion o gynnar ar gyfer y rhagbrawf. Roedd hi'n bownsio rownd y garafán am chwech, yn ceisio dod o hyd i'w dillad a'i cholur. Diolchai Glyn na sylwodd arno'n dod i mewn tua thri o'r gloch o babell Twm, heb brin droed odano. Ni wnaeth hi ond troi ar ei chefn a rhochian yn ei chwsg. A nawr roedd Glyn yn talu am y gwin a yfodd o flaen pabell Twm yn ystod yr oriau mân. Ceisiodd ddweud wrthi ei fod yn sâl a holi a gâi e aros yn ei wely am awr neu ddwy i ddod drosto – plis, Miss – ond cafodd orchymyn i godi gydag awdurdod sarjant yn y fyddin. Barnodd yntau mai gwell peidio cymell ffrwydriad Mownt Difa.

Aeth yn ei ôl i eistedd i geisio dofi'r ddraig arall a ruai dân drwy ei ben, a'i chyfeilles a oedd yn bygwth arllwys cynnwys ei stumog dros lawr pabell y rhagbrawf cerdd dant. Doedd Merched y Cwm ddim wedi cyrraedd, nac yn debygol o wneud am gryn hanner awr arall. Chweched parti i ganu allan o wyth oedden nhw, ac ni welai Glyn unrhyw reswm daearol call dros fod yno'n barod dri chwarter awr cyn i'r gystadleuaeth gychwyn. Ond wrth fentro troi mymryn ar ei ben bregus, gwelodd fod sawl un tebyg iddo – ddim mor wael ei iechyd, fe fetiai – yn eistedd yn y rhesi. Gwŷr dan y fawd, un ac oll. Trueiniaid fel fe a lusgwyd yno yn erbyn eu hewyllys ar fympwy eu gwragedd. Un peth oedd llawenhau yn ein traddodiadau fel cenedl, ymhyfrydu yn ein hetifeddiaeth unigryw, ymfalchïo bod gennym geinciau a cherddi i'w cydasio ar ddwy alaw mewn modd nad yw'n digwydd yng ngweddill gwledydd y byd, a chlust at harmoni a'n galluogai i blethu cyfalawon a geiriau beirdd i'w gilydd; ond gwae ni am anghofio'r isddosbarth o gaethion gwrywaidd a ddigeilliwyd yn enw cerdd dant. Nhw sy'n gorfod cario telynau ar eu hysgwyddau; nhw sy'n gorfod eistedd drwy oriau o'r sŵn nes bod eu hymennydd pitw'n sgrechian am waredigaeth; nhw sy'n cynnal y benywod bronfawr sy'n bileri'r traddodiad hwnnw. Pe sefydlent undeb, meddyliodd Glyn wrth edrych o'i gwmpas ar wynebau ei gydgaethion ufudd a bagiau eu difas ar eu gliniau, gallent hawlio iawndaliadau am ysgwyddau briw, am ymenyddiau chwâl, am oramser, ac ennill iddynt eu hunain fesur o'u gwrywdod yn ôl.

Wrth gerdded i'r maes mentrodd awgrymu y gallai ei gadael 'i'w phethau' tra âi ef o gwmpas i weld beth welai, ond prin roedd y geiriau wedi'u llefaru cyn iddi ei chwipio â llach ei thafod: 'Ti'n aros i glywed 'y mharti i, beth sy'n bod arnot ti? Yr holl amser 'wy wedi'i aberthu, yr holl lafur, a 'co ti'n gwarafun awr fach o dy amser drud. Ti'n aros, Glyn, ti'n aros i glywed y cwbwl i ti ga'l barnu pa dri pharti sy'n haeddu ca'l llwyfan.'

I beth? gwaeddai ei ben yn ôl arni, ddim fi sy'n beirniadu. Pa wahaniaeth wnâi ei bresenoldeb e i lwyddiant ei pharti? Ond gwyddai ei fod wedi'i dynghedu i dreulio teirawr arall o'i fywyd yn eistedd drwy'r rhagbrawf cerdd dant.

Erbyn i Merched y Cwm gyrraedd, bron na ellid gweld y trydan yn dawnsio oddi ar flew croen y Difa. Fflitiai o un aelod i'r llall yn eu hatgoffa am y cymal a'r cymal, y nodyn hwn a'r llall, a dawnsiai yn ôl ac ymlaen o un lle i'r llall yn cyfarch hyfforddwyr y partïon eraill a oedd yn gydgymheiriaid iddi yn y gêm, ond yn brif elynion hefyd. Pasiai fwrdd y beirniad o bryd i'w gilydd ar ei hynt, a chofiai arafu ei chamre wrth hwylio heibio ac anelu gwên lydan lipsticiog i'w cyfeiriad.

O'r diwedd, dechreuodd y cystadlu, a llwyddodd Glyn i ddiffodd y croesalawon a'r ceinciau a'r geiriau wrth geisio canolbwyntio ar orchfygu ei hangofyr. Tra eisteddai, ef oedd y meistr ar ei stumog, felly efallai iddo wneud peth call wedi'r cyfan yn ufuddhau i'r Difa: o leia câi eistedd yn y fan hon heb orfod cyfarch neb. Ceisiodd ddychmygu ei hun yn ôl yn ei wely yn y garafán, yn cysgu drwy bydewau dyfnaf ei waeledd. Pe daliai ei ben yn uchel, ar anel at y llwyfan, gallai fentro cau ei lygaid. Ond sylweddolodd yn syth mai cynyddu ei benstandod a wnâi hynny, yn hytrach na gostegu'r pwll lafa yn ei stumog.

Cymysgu cwrw a gwin coch, ar hynny roedd y bai. Rhaid iddo gofio sut roedd e'n teimlo nawr, a dysgu ei wers. Bu bron iddo â chwerthin yn uchel: wedi 55 mlynedd, doedd dim argoel ei fod e'n dysgu ei wers. Ar Twm roedd y bai, yn dod yno neithiwr a'i gymell i yfed mwy. Ond diawch, bu'n achubiaeth hefyd: hebddo, byddai Glyn wedi mynd i'w wely'n llawn o'r iselder a lifodd drosto yn yr adlen cyn i Twm alw, ac wedi troi a throsi drwy'r nos, gan ddeffro heddiw yn llawn o'r un meddyliau diflas â'r rhai a'i llethai'r noson cynt. Roedd oriau o gwmni Twm a Nigel, a dau neu dri Gog na wyddai Glyn mo'u henwau, wedi gwneud y byd o les iddo, a dim gwaeth na hangofyr i'w ddiodde y bore 'ma. Hangofyr a cherdd-ddannodd.

Daeth y rhagbrawf i ben o'r diwedd, a Glyn prin wedi sylwi ar berfformiad Merched y Cwm. Yr eiliad y cododd y gynulleidfa ar ei thraed, gwnaeth Glyn yr un fath. Roedd y Difa'n morio ffug-chwerthin yng nghwmni dwy o'r hyfforddwragedd eraill ym mhen arall y babell.

Sleifiodd Glyn allan heb iddi ei weld.

★

Un waith yn unig y cerddodd e rownd y maes cyn penderfynu na allai ei stumog fentro symud rhagor. Cerddai â'i ben i lawr yn gwylio'i draed wrth gerdded rhag iddo daro ar gydnabod. Roedd e'n casáu taro ar bobl roedd e'n eu lled-adnabod (neu bobl roedd e'n eu hadnabod yn iawn o ran hynny) a chwarae'r gêm roedd y Difa mor hoff ohoni, sef sgwrsio gwag. Llwyddai'r Difa i gofio popeth yn syth am y sawl a gyfarchai ond âi meddwl Glyn yn un stwmp o banic a phob manylyn am fywyd y sawl a siaradai ag ef yn angof ar amrantiad. Anghofiai enwau pobl roedd e'n gwybod yn iawn pwy oedden nhw, yn ogystal â phob manylyn am eu bywydau. Bob blwyddyn ar y maes, yn ddi-ffael, byddai'n rhoi ei droed reit yng nghanol y caca. Cofiai i'r Difa ddweud rhywbeth am wraig rhyw fachan unwaith, ac yntau'n gofyn sut roedd hi – a'r truan yn ei hysbysu ei bod hi wedi marw ers chwe mis. Neu pan gadwai at dir saff plant, a holi sut oedd y ferch neu'r mab, cyn deall nad oedd y rhiant a'r plentyn yn siarad â'i gilydd mwyach.

Gwelodd gydnabod iddo'n nesu tuag ato, ond ni allai wynebu cynnal sgwrs am y tywydd na dim arall drwy ei hangofyr. Trodd ar ei sawdl, fel pe bai newydd gofio rhywbeth pwysig, ac anelu i mewn i'r babell agosaf.

Y Babell Lên, fel y digwyddodd hi. Ac roedd cyfarfod ar fin dechrau. Hysiwyd ef i sedd gan y stiward wrth y drws, a theimlodd yn well yn syth wrth eistedd yno. Anadlodd yn ddwfn a chau ei lygaid. Awr arall i ganolbwyntio ar wella. Efallai y gallai ddianc yn ôl i'r garafán wedyn: byddai pedair awr o'r maes (tair mewn rhagbrawf, un mewn darlith) yn ddigon i fodloni'r Difa. Agorodd ei lygaid drachefn wrth glywed Luned Emyr yn cyflwyno'r siaradwraig ...

'Rhowch groeso cynnes iawn i'r Doctor Heulwen Pears.'

O'r twat! cystwyodd Glyn ei hun yn ei ben. Yr *un* lle... *yr* unig le nad oedd e eisiau glanio ynddo. A dyma fe wedi llwyddo i wneud hynny ar ei ben.

Doedd dim dianc. Roedd Heulwen eisoes ar ei thraed. Os codai i fynd allan, byddai'n ei weld. Byddai'n ei weld ta beth, ond byddai codi i fynd allan a hithau newydd ddechrau yn andros o sarhad. Penderfynodd wrando arni – nid bod ganddo ddewis – ac efallai y dysgai rywbeth.

Gwyliodd hi'n camu'n hunanfeddiannol o un ochr i'r llall y tu ôl i'r lectern, gan daflu cipolwg o bryd i'w gilydd ar ei nodiadau. Roedd ôl blynyddoedd o annerch cynulleidfaoedd ar ei llais, a hyder yn y ffordd roedd hi'n dal ei hysgwyddau. Nid oedd dim o ôl y wraig-tŷ ffrympi a gofiai Glyn ar ei hymarweddiad. Trafod y nofel seicolegol oedd hi, nodweddion mewnol cymeriadau, dulliau o gyfleu teithi meddwl, moddau o ddatblygu datgeliadau fesul cam ar sail priodoleddau seicolegol y cymeriadau. Efallai y gallai drosglwyddo peth o'r hyn roedd ganddi i'w ddweud i'w nofel, i'w hymgorffori yn Dafydd, meddyliodd Glyn.

Ond oherwydd ei ben ysgafn a'i stumog cythryblus, tueddai'r geiriau i glymu yn ei gilydd yn un poetsh o ddiffyg synnwyr.

'Yn y nofel ôl-fodernaidd,' meddai Heulwen, 'seicoleg rhwbeth rhwbeth... yn ymgodymu â rwbeth chwyldroadol... sensitifedd rwbeth... amgylchedd ymenyddol yn trawsffurfio'r...'

O blydi hel!

Bodlonodd Glyn ar ei gwylio'n unig a chau ei glustiau i'w doethinebau. Pe bai ei ben yn glir, mae'n siŵr y byddai wedi dysgu rhywbeth.

Gwisgai ffrog sidanaidd goch a ddisgynnai'n dusw lesiog wrth ei phengliniau, ond a godai'n dynn am ei gwasg main a'i bronnau bendigedig. Drosti, gwisgai siaced fach liw hufen a roddai ffurf i'w hysgwyddau, honno hefyd o doriad perffaith. O ble yr eisteddai Glyn yn ei gwylio, gallai fod yn fenyw yn ei thridegau cynnar, yn llawn o hunanhyder menyw ddwywaith ei hoed. Daeth yn ôl at ei nodiadau i bwysleisio rhyw bwynt a daliai ei llaw i bwyntio i gyfeiliant ei geiriau. Gwelodd Glyn fod ei hewinedd wedi'u peintio'n goch golau clir a gydweddai'n berffaith â choch y ffrog. Nodiodd un neu ddau yn y rhes flaen, a nodiodd Glyn hefyd.

Sylwodd ar Dan yn eistedd yn y sedd agosa at y drws, ar osgo a wyrai oddi wrthi – fel pe bai ar fin bachu allan o'r babell. Ond roedd pawb arall fel pe baen nhw wedi'u rhwydo yng ngwe ei geiriau, gan nodio o bryd i'w gilydd wrth iddi bwysleisio'i phrif bwyntiau. Ceisiodd Glyn ailafael yn rhediad ei hanerchiad. Roedd hi wedi symud ymlaen at yr awdur, a'r modd mae ganddo reolaeth lwyr dros natur ac amseriad ei ddatgeliadau. Byddai'n rhaid iddo feddwl sut a phryd i ddatgelu cariad Dafydd at Gwawr – doedd dim iws gwneud hynny ar y dechrau un. Ai cychwyn gyda golygfa garu oedd y syniad gorau? Oni fyddai hynny'n datgelu holl gyfeiriad ei nofel bron cyn iddo ddechrau? Beth gâi e i gynnal chwilfrydedd ei ddarllenwyr pe bai'n cychwyn yn y fan honno? Onid persbectif ysbrydol, crefyddol efallai, fyddai'n gwneud y man cychwyn mwyaf diddorol?

Daeth atgof iddo, o nunlle, amdano ef a'r Difa'n galw i'w gweld rai dyddiau wedi iddyn nhw golli Megan. Ceisiodd yrru'r atgof o'i ben rhag cael ei dynnu i bwll o ddiflastod unwaith eto. Y Difa oedd wedi mynnu galw yno. Y peth i'w wneud, meddai wrtho. Galw gyda ffrindiau ar ôl iddyn nhw ddioddef profedigaeth. Ond nid profedigaeth gyffredin mohoni. A ffrindiau? *Oedden* nhw'n ffrindiau, Heulwen a Dan? Cydnabod, ie, ond... Oedd, roedd y ddau gwpwl wedi treulio ambell noson yng nghwmni ei gilydd wrth fyrddau pobl eraill, ac un tro roedd y Difa wedi'u gwahodd i barti yn eu tŷ nhw. Ambell noson, dyna'r cyfan, meddyliodd Glyn, yng nghwmni pobl oedd yn eu nabod nhw'n well na ni, yn well nag oedden ni'n nabod ein gilydd. Pe bai Megan wedi byw, byddai Heulwen yn dal fel roedd hi, ychydig mwy o grychni dros ei hwyneb, ychydig yn llai ffrympi nag oedd hi â'i phlentyn yn ifanc a hithau heb amser i edrych ar ei hôl ei hun. Ond nid hon fyddai hi. Nid yr Heulwen hon.

Roedden nhw wedi galw yno ac yntau wedi ceisio cynnig pob esgus, unrhyw esgus, rhag gorfod mynd – a *doedd* e ddim yn dda – ond roedd y Difa wedi mynnu. A Llion yn ei breichiau (ac Awel, diolch byth, wedi mynd at Dad-cu a Mam-gu Aberaeron), fe'u gwahoddwyd i mewn gan fam

Dan a ddaethai yno o Rydychen. Cofiai Glyn iddo eistedd gyda honno, a'r Difa'n ceisio siarad, ond roedd cyfnodau hir o ddweud dim byd hefyd, a Dan yn mynd allan, yn methu aros yn y stafell, a Heulwen yn y gegin drws nesa'n golchi llestri yn y sinc. Gallai ei gweld drwy'r drws agored, ei gwallt yn hongian yn seimllyd ddi-drefn dros ei hysgwyddau a'i bochau'n batshys coch a gwyn drostynt. Roedd hi wedi torchi ei llewys, a'r swigod o'r sinc yn haenen dros waelod y llewys am ei phenelin. Tasgai'r dŵr wrth iddi hyrddio golchi llestri, a mam Dan yn ceisio'i chael i roi'r gorau i'r llestri a dod i siarad â Glyn a Dilys. Heb ddim diben.

'*There are no dishes to wash, you know,*' meddai mam Dan wrthyn nhw'n dawel. '*But she insists on washing them. Clean ones. That's all she's done for four whole days. Wash dishes. She dries them, puts them away, comes away from the sink. But then she's back again, straightaway, takes them out, washes them, dries them, puts them away. When people call, that's all she does.*'

Mynegai tôn ei llais ei thrueni dros ei merch-yng-nghyfraith, a'i rhwystredigaeth hefyd, gan mai hi, y fenyw ddieithr o Rydychen, oedd yn gorfod eistedd yn y lolfa drwy'r seibiau hir yn y sgyrsiau gyda ffrindiau a chydnabod ei mab a'i merch-yng-nghyfraith, a hithau heb y syniad lleiaf pwy oedd y bobl a eisteddai gyferbyn â hi.

Roedd llygaid Glyn wedi glanio ar y pentwr o deganau plentyn bach wrth y soffa. Yr un mor sydyn, caeodd ei lygaid rhagddynt.

'*Dan... he's gone in on himself,*' ychwanegodd Mrs Pears.

'*Understandable,*' meddai'r Difa.

Edrychodd Glyn ar Dan nawr. Doedd e ddim fel petai wedi dod allan ohono'i hun byth ers hynny. Ond ni allai Glyn gofio'n iawn ai un felly oedd e wedi bod erioed.

Yna, roedd y gynulleidfa'n clapio, a Heulwen wedi gorffen. Cododd Glyn, yn rhy sydyn, a daeth ton arall o ysictod drosto. Anelodd am y fynedfa gan blygu ei ben. Ni allai fentro oedi, rhag chwydu dros ben rhywun. Doedd dim dwywaith amdani y tro hwn, roedd e'n mynd i ddigwydd. Gwthiodd heibio i un fenyw gan sefyll ar ei throed. Nid ymddiheurodd wrthi, rhag i'w oedi ddod â chynnwys ei stumog allan dros ei throed arall. Cyrhaeddodd y drws, a rhuthrodd rownd i ben draw'r babell, allan o olwg y rhesaid o bobl a oedd yn gadael y babell. Roedd wedi sylwi'n frysiog ar y cylch o bwysigion byd llên a heidiai o gwmpas Heulwen yn y blaen i'w llongyfarch ar ei hanerchiad.

Chwydodd Glyn alwyni o gwrw a gwin coch yn gymysg wrth din y Babell Lên. Sychodd ei wefusau a symud rai camau i ffwrdd oddi wrth y pwll stemllyd a fu y tu mewn iddo eiliadau ynghynt. Eisteddodd wrth fôn y babell a diolch nad oedd neb arall yno i'w weld. Anadlodd yn ddwfn. Teimlai'n well er bod y cur yn ei ben wedi gwaethygu. Damia ti, Twm, meddyliodd. Roedd ei wynt yn drewi gormod iddo allu mentro cerdded y maes. Rhaid fyddai mynd yn ôl i'r garafán. Arhosodd am funud neu ddwy i geisio rheoli'r pwnio yn ei ben. Roedd y lleisiau o fewn y Babell Lên yn graddol ddistewi wrth i'r olaf o'r gynulleidfa adael.

Daeth yn ymwybodol o siarad y tu ôl iddo. Lleisiau Heulwen a Dan. Doedden nhw ddim yn dal y tu mewn i'r babell, neu fyddai e ddim yn gallu eu clywed mor glir. Rhaid mai rownd yr ochr wrth ymyl y fynedfa roedden nhw, allan o'i olwg. Penderfynodd eistedd i adael iddyn nhw fynd, a gweddïodd na ddôi'r un o'r ddau rownd i'r cefn a'i ddal e yno.

Gallai glywed eu sgwrs yn glir. Dadl, yn fwy na sgwrs. Ceisiodd gau'r lleisiau allan o'i ben – nid oedd arno ronyn o awydd bod yn dyst i ddadl rhwng gŵr a gwraig, a llai fyth o awydd clustfeinio ar gweryl rhwng y pâr penodol yma. Ond dôi'r lleisiau ato ar ei waethaf.

'*No way*, Heulwen! Dwi'n mynd adre os ti'n mynnu bo fi'n dod 'da ti.'

'Dwi 'di gaddo, fedrwn i'm peidio.'

'Cer di. Ti maen nhw moyn weld.'

'Ti mor pathetic.'

'Beth odw i ond papur wal?'

'Plis, Dan! Fedrwn i'm meddwl am esgus yn ddigon sydyn. Ti'n gwbod sut ma hi... 'di hi'm yn rhoi lle i chdi wrthod.'

'Blydi poen yw hi! Hi a'r blincin lap-dog 'na sy 'da hi.'

Cododd clustiau Glyn. Doedd bosib...?

'Alla i ddim wynebu noson o siarad cerdd dant. Alla i ddim!'

'Ma Dilys yn siarad am betha ar wahân i gerdd dant!'

Creist ein iôr ni, meddyliodd Glyn a'i ben yn bygwth ffrwydro.

'Roith gyfla i ni siarad.'

'Siarad, siarad, siarad, ti'n obsesd 'da siarad.'

'Cau drws, cau allan, ti'n newid dim!' Roedd Heulwen yn dechrau gwylltio go iawn.

'Na tithe.'

'Yli,' clywodd Glyn hi'n meddalu ei llais i geisio ymresymu, 'mi neith les. Pryd o fwyd efo bobol roeddan ni'n nabod *cynt*. Ti sy'n deud bo chdi isio i ni ddal i drio...'

'Ma 'na ben draw.'

'A 'dan ni bron iawn â'i gyrra'dd o.'

Tawelwch. A Heulwen wedyn, yn oeraidd, ddiamynedd:

'Yli, ma gin i lot o betha i neud cyn y Coroni.'

Clywodd Glyn ei llais yn pellhau wrth iddi ddweud hyn, a Dan yn rhegi o dan ei wynt. Methai gymell ei gorff i symud, er y gwyddai y byddai Dan wedi mynd hefyd bellach. Rhaid bod y Difa wedi pownsio ar Heulwen ar ôl iddi ddod allan o'r rhagbrawf, wedi mynnu…

Lap-dog. Diolch, Dan.

Cododd yn araf a cheisio treulio'r ddadl yn ei ben. Roedd e wedi cael gwared ar un llond stumog o 'ach' a nawr teimlai fel pe bai 'ach' arall wedi glynu wrtho.

Cyn ailymuno â thyrfa'r maes, ceisiodd Glyn feddwl ble roedd y fynedfa. Rhoddodd drefn ar y llwybr allan o'r maes yn ei ben, hoeliodd ei olwg ar y llawr, ac anelu am allan ar ei union.

Clywodd lais yn galw arno wrth iddo droi'r gornel wrth ymyl pabell S4C. Nigel! Blydi Nigel Pwll! Drwy gornel ei lygaid, gwelodd ei gyd-aelod yn y côr yn codi ei law arno, a ffugiodd ryw led-edrych o'i gwmpas, a methu gweld y sawl a waeddodd ei enw. Edrychai fel pe bai dwsin a mwy o blant gan Nigel wrth ei sodlau, neu ar ei ysgwyddau, yn y dybl-bygi o'i flaen, neu'n ceisio dringo drosto. Y peth olaf roedd ar Glyn ei angen oedd sgwrs gyda Nigel drwy swnian dwsin o blant a drewdod chwd.

Anelodd yn ei flaen, a diolch byth, roedd Nigel yn rhy sownd yn y plant i'w ddilyn. Roedd e bron yn rhedeg yn ei frys i adael, a bu'n rhaid iddo godi ei ben unwaith wrth daro i mewn i ryw fachan mewn siwt. Ymddiheurodd wrtho'n sydyn, a thybiodd iddo weld, drwy gornel ei lygaid, Heulwen yn chwerthin yn lliwgar wrth sgwrsio â chriw o bobl, heb ofid yn y byd.

Neu efallai nad hi oedd hi. Anelodd Glyn tuag at y fynedfa.

12

Ar sgrin y teledu bach – y *t*-eledu *b*-ach, Dilys! – gwyliodd Glyn Heulwen yn traddodi beirniadaeth y Goron. Nid oedd y ddadl gyda Dan wedi amharu gronyn ar ei dawn i annerch cynulleidfa. Safai'n dalsyth awdurdodol, a'i gwallt heb flewyn o'i le, wrth redeg drwy'r rhestr o gystadleuwyr gan geisio gwisgo'u hanallu llwyr i roi gair wrth air yn farddonol mewn geiriau gwenieithus. Am unwaith, nid oedd ganddo rithyn o ddiddordeb yn y feirniadaeth ei hun. Gorweddodd ar y seddi *leaf green and burgundy* gan wylio pob ystum ac osgo o eiddo Heulwen heb wrando arni, ac ail-fyw'r hyn a glywsai o'i guddfan y tu ôl i'r Babell Lên. Methai gysoni ymarweddiad hunanfodlon y fenyw ar y llwyfan a'r ffaith ei bod hi, yr union fenyw honno, ar fin wynebu ysgariad. Dyna a awgrymai eu dadl, onid e? Chwalfa, *chaos*, chwyldroi bywydau, cawdel, *mess*. A dyma hi o'i flaen ar y sgrin a phob ystum o'i heiddo'n mynegi trefn, undod, awdurdod, hunanfeddiant, sefydliad, cryfder, nerth… pa ryfeddod sy'n fwy na'n gallu i ddweud celwyddau, i fyw celwyddau, wrth ein gilydd ac wrthon ni ein hunain?

Sut y datblygodd y fenyw a gofiai – sach–ddillad–budron o fenyw, heb iddi ffurf na lliw na llun, i fod yn bili-pala prydferth a ledai ei adenydd gerbron y genedl i arddangos holl wychder ei bod? Efallai fod y ddadl a glywsai yn gwneud perffaith synnwyr o ystyried metamorffosis y fenyw a lefarai mor goeth, mor gain ei gwedd a'i hymadrodd, o'i flaen. Efallai mai Dan oedd y crystyn olaf a lynai wrthi o'i chwiler. Dan a'i lwydni diflas, yn sownd yng nghors ei orffennol; Dan a'i lais cwynfanllyd yn ei dilyn fel cadwyn am ei hadenydd; Dan ddi-liw, ddi-hwyl. I hyn, i lwyfan yr Eisteddfod Genedlaethol yng ngolwg y genedl y'i ganed hi. Dyma benllanw ei gyrfa; at hyn roedd hi i fod i ddod; dyma'i thynged; dyma wir lwybr ei bywyd. *Collateral damage* oedd y cyfan arall a adawodd ar ymyl y ffordd. Dan. Megan. Dyma oedd Heulwen i *fod*. A phwy allai ddadlau nad oedd hi'n fodlon, nad oedd hi'n hapus, yn llewyrch y goleuadau a'r camerâu?

Cododd Glyn ar ei eistedd. Roedd y cur yn ei ben yn diflannu, a theimlai'n well nag y teimlodd ers amser. Wrth ei chlywed hi'n siarad, teimlai egni'n dychwelyd i'w goesau, nerth yn ffrydio drwyddo, fel pe bai ei hyder hi'n treiddio drwy'r sgrin tuag ato ef, yn ei drydaneiddio, yn ymbelydru i mewn iddo. Dyma fel roedd hi i *fod*.

★

Yn yr adlen, taclusodd Glyn y pentwr nodiadau a'u trefnu. Câi'r nodiadau nad oeddynt yn berthnasol ond i'w baragraffau cyntaf fynd i'r bin.

Teimlodd gynhesrwydd drwy ei gorff. Dwy awr solet o ysgrifennu heb godi ei ben bron, ac roedd e wedi llwyddo i ysgrifennu ugain o baragraffau, saith tudalen a hanner cynta ei nofel. Dôi'r gweddill gymaint yn haws. Roedd wedi penderfynu cadw at yr olygfa garu, ond wedi plannu digon o gwestiynau ynddi i'r darllenydd, wedi'i saernïo yn y fath fodd fel nad oedd sicrwydd o fath yn y byd beth oedd gwir deimladau'r bardd tuag at y ferch yn ei freichiau ar eu gwely o ddail derw. Gallai fod yn ddim ond gorchest rywiol arall i'r hwrgi o gywyddwr; gweld cyfle a'i gymryd; gallai hyd yn oed fod yn weithred o drais – er i Glyn oedi am frawddegau i gyfleu orgasm Gwawr, falle nad trais chwaith felly. Roedd e ar y ffordd, wedi dechrau'r daith tuag at y frawddeg olaf un, yr atalnod llawn cyn gwobr Llyfr y Flwyddyn. (Tybed ai

Heulwen fyddai'n beirniadu, neu'n cyflwyno'r seremoni?)

★

Dechrau cyfri'r geiriau roedd Glyn pan ddychwelodd y Difa o'r maes. Daeth i mewn i'r adlen yn fyr ei gwynt ar ôl cerdded yr holl ffordd.

'Welest ti hi?'

'Beth?'

'Y gystadleueth, Glyn bach, y gystadleueth!'

'Y Goron? Do.'

'Ddim y Goron, y twpsyn! 'Yn cystadleueth *ni*! Y parti cerdd dant!'

Roedd wedi anghofio pob dim am Ferched y Cwm. Felly, edrychai'n debyg eu bod wedi cael llwyfan.

'Do. Da iawn.' Mentro, fe wyddai, ac yntau heb y syniad lleiaf sut aeth hi. ''Neson nhw'n wych.'

'Trydydd, Glyn.' Yn nawddoglyd yddfol.

''Neson nhw'n wych i gyrra'dd y llwyfan, Dilys. Da iawn ti.'

'Beth o't ti'n feddwl o'r ddau barti arall?'

'Wel, ym… o'n i ddim yn lico'r parti cynta. Pwy o'n nhw nawr…?'

'Aelwyd yr Ynys.'

'O ie. Aelwyd yr Ynys. O'ch chi lawer gwell na nhw.'

'O'n ni lawer gwell na'r pethe 'na o sir Benfro, weda i 'ny. Dim byd newydd 'da nhw, llawn o hen drawiade. Sai'n gwbod am Aelwyd yr Ynys.'

'Wel… ti'mbo… gweld nhw'n ynganu'n ogleddol.'

'Pwy wahanieth am 'ny mewn cerdd dant?'

'Wel. Ie, ma'n debyg. Ond o'ch chi lawer gwell na'r parti o sir Benfro.'

Saib byr.

'Welest ti fe, Glyn?' Llais bach twyllodrus o ddiniwed ac iddo dwtsh o greshendo.

'Naddo, Dilys, anghofies i.'

''Na i gyd ma rhywun yn ga'l am 'i holl ymdrech.'

Aeth y Difa i mewn i'r garafán. Taclusodd Glyn ei nodiadau ac ystyried am eiliad neu ddwy y gallai ddweud wrthi iddo lwyddo i roi cychwyn ar ei nofel. Ond ailystyriodd yr un mor sydyn a chloi'r *briefcase* ar ei gynnyrch.

Roedd hi wrthi'n newid o'i dillad maes i'w dillad mynd mas y noson honno. Cofiodd eiriau Dan amdani... 'blydi poen'. Yn hynny o beth, doedd y dyn llwyd ddim ymhell o'i le. Wedyn, cofiodd am y 'lap-dog'.

'O's rhaid i ni fynd mas heno? Dwi wedi blino tam' bach...'

'Sesho nithwr yw 'ny. A pwy wedodd bo ni'n mynd mas?'

'Gweld ti'n newid i dy...'

'Ti'n llygad dy le. Ni'n mynd mas am bryd o fwyd 'da Heulwen a Dan.'

'O's rhaid? Ond nithwr welon ni nhw. Dydd Llun yw hi. Ma'r wthnos heb 'i thwtshyd.'

'Ni'n *mynd*, Glyn. Gwisga dy siwt ole. Welith pawb ni heno a Heulwen yn feirniad y Goron.'

'Ma siŵr bod pethe gwell 'da hi i neud.'

'O'dd hi wrth 'i bodd pan wahoddes i hi. Edrych mla'n.'

Ie. Reit. Dysga ddarllen yr ochor draw i eiriau, Dilys fach.

'Dere mla'n! Ni'n pigo nhw lan o fla'n y White am hanner awr wedi wyth. Fyddan nhw'n grac os byddwn ni'n hwyr.'

Go brin. Gollyngdod pur i'r ddau fyddai i ni beidio ag ymddangos o gwbwl.

'Dilys, dwi ddim yn teimlo'n rhy dda. Ma 'da fi bo'n yn 'yn ochor, wedi bod 'na drwy'r dydd.' Osgoi'r esgus o ben tost a theimlo fel chwydu – symptomau rhy debyg i hangofyr.

'Paid gwen'yno, Glyn. Ma 'da fi blant yn rysgol sy'n gwen'yno fyl'na.'

Blydi poen a lap-dog.

'Dilys.' Awdurdodol. Hyder. Mistir ar Mistir Mostyn. 'Dwi ddim yn credu dylen ni fynd mas am bryd o fwyd heno 'ma. Dwi *wir* ddim yn credu dylen ni fynd.'

'Pam?' Saethodd edrychiad llygatfawr cegagored ato. Pam. Cwestiwn da. Gallai sôn am Llion. Creu creisis teuluol, esgus da. O dduw mawr, na!

Gallai ddweud y gwir, yn hytrach. Iddo glywed y ddau'n dadlau. Dan yn gwaredu rhag rhannu pryd gyda'r ... Na.

'Gweda! Pam?'

Gallai esgus bach cael harten. Crist o'r nef!

'Dwi'm yn gwbod.' Y llynghyryn seithblwydd ag e. 'Dwi jyst ddim moyn mynd.'

'Ni'n goffod neud lot o bethe 'so 'ni'n moyn yn yr hen fyd 'ma, Glyn bach, ond ry'n ni'n eu neud nhw ta beth, am mai 'na beth sy'n cadw'r ddaear 'ma i droi.'

Hyn gan ailafael yn ei theits. Tynnodd nhw dros floneg ei chanol, reit lan o dan ei bronnau, nes creu rhych ddofn rhwng llabedau ei siobet.

Estynnodd Glyn ei siwt olau oddi ar yr hangyr, yn lap-dog bach ufudd unwaith eto.

'Beth yw'r inc 'ma?' bŵmiodd llais y Difa tu ôl iddo wrth i'w llygaid lanio ar y staen du yng nghanol y *leaf green and burgundy*.

★

'Ma'n nhw'n cadw bwrdd i ni yn Braich y Castell erbyn naw. Digon o amser i ni gyrra'dd 'na, a cha'l drinc bach 'da nhw cyn ishte i fyta.'

Tynnodd y Difa y car i mewn wrth ochor y White. Doedd dim golwg o Heulwen a Dan.

'Cere miwn i whilo amdanyn nhw,' gorchmynnodd y Difa.

Anelodd Glyn i mewn i'r gwesty. Gallai weld fod y bar o dan ei sang yn barod, er na roddodd Glyn ei ben rownd y drws rhag iddo weld Twm a chael tynnu'i goes yn rhacs am ei fod wedi gwisgo'i siwt. Dim ond ychwanegu at ei sbort fyddai clywed ei fod e a'r Difa'n mynd â beirniad y Goron a'i gŵr allan i swper.

Cerddodd tuag at y grisiau, heb weld arwydd o'r naill na'r llall. Trodd yn ei unfan am eiliad i weld a welai aelod o'r staff y gallai ofyn iddo ef neu iddi hi ffonio stafell y ddau. Ond roedd pob aelod o'r staff yn brysur tu ôl i'r bar, neu'n cario gwydrau. Ceisiodd ofyn i un a chanddo gryn ddwsin o wydrau gwag yn ei ddwy law, ond gwthiodd yntau heibio iddo am fod un o'r gwydrau'n bygwth llithro drwy ei fysedd. Dôi rhywun ato, galwodd o'i ôl.

Ddaeth neb, ac aeth Glyn yn ôl at y car a rhoi ei ben i mewn.

'Dim sein,' meddai wrth y Difa.

'Cere i *ofyn*, Glyn bach, cer i *ofyn*! 'So nhw'n seicic!'

Trodd Glyn yn ôl am y dafarn a gwelodd Heulwen yn

dod tuag at y car. Gwisgai'r un ffrog goch ag a welsai amdani yn y Babell Lên ac ar y llwyfan, ond roedd hi wedi diosg ei gwên.

'*Ma'n* ddrwg gin i, Glyn,' meddai, braidd yn fyr o wynt. Daeth y Difa allan o'r car wrth ei gweld hi'n nesu. 'Ma'n wir flin gin i am hyn, ond fedrwn ni'm ei gneud hi heno, mae arna i ofn.'

'Pam? Beth sy?' holodd y Difa'n swta.

'Dan. Dio'm hannar da…'

Fe gafodd ei ffordd felly, meddai Glyn wrtho'i hun.

'Oo? Beth sy'n bod arno fe?'

'Ffliw… byg… dwn i'm. Tydi o'm wedi bod yn fo'i hun ers amsar.'

Alergedd at blydi poens a lap-dogs oedd y geiriau ddaeth i feddwl Glyn.

'Ma'i hwylia fo'n reit isal, a deud y gwir.'

Efallai fod hynny'n agosach at graidd y gwir. Dyn go isel oedd yn siarad â'i wraig wrth fynedfa'r Babell Lên y bore hwnnw. Doedd y dduwies ddim yn gallu dweud celwydd noeth, ddim hyd yn oed i arbed wyneb.

'Ddrwg 'da fi glywed,' meddai'r Difa. 'Oes rhwbeth gallwn ni neud?'

Cadw'n glir? Diflannu oddi ar wyneb y ddaear?

'Na. Angen *rest* mae o. Llonydd.'

'Dere *di* gyda ni 'te.' Fflachiai llygaid y Difa. Plis, plis Heulwen, gad i fi ga'l dy gwmni di. Ti. Beth yw'r ots am y tipyn gŵr 'na sy 'da ti, lices i erio'd mo'r jawl o Sais.

Câi Heulwen hi'n anodd gwrthod. Ei chwrteisi greddfol yn bygwth ei dad-wneud. Gwridodd fymryn.

'Wel, 'sa'n well i mi beidio dwi'n meddwl…'

'Pam lai? Gad i Dan gysgu a dere di. Ma'r ford wedi'i bwcio.'

Ffwcio'r ford, Dilys fach! Pam na roi di'r gorau iddi? Deall ystyr 'na' er nad yw Heulwen yn ddigon dewr i *ddweud* 'na'. Synnodd Glyn eto at wyneb ei wraig.

'Gad hi fod, Dilys,' meddai wrthi, a gwelodd wawr o ryddhad yn llifo dros wyneb Heulwen. Trodd ati. 'Y peth dwetha ti moyn yw pryd o fwyd a dy ŵr yn 'i wely'n sâl. Arhosa di 'da fe. Gewn ni bryd o fwyd rwbryd 'to.'

Methodd y Difa a chau ei cheg am ei syndod.

'Diolch, Glyn,' gwenodd Heulwen arno cyn troi at y Difa. 'A sorri eto.'

Trodd Heulwen yn ôl am y dafarn.

'Cystal â gweud bo ni ddim moyn mynd â hi mas am swper,' ceryddodd y Difa wrth ailgychwyn yr injan.

'O'dd hi ddim ishe,' dadleuodd Glyn.

'Shwt ti'n gwbod?' saethodd y Difa ato.

'Gallu gweud wrthi,' daliodd ei dir.

'Ers pryd wyt *ti*'n seicolojist?'

'Ewn ni'n dau i Fraich y Castell,' awgrymodd Glyn yn gymodlon i geisio'i thawelu. Gallai oddef dwyawr o siarad steddfod di-stop o geg ei wraig os oedd ganddo blatiaid teidi o fwyd da o'i flaen. Ni fyddai'n rhaid iddo wrando arni'n rhy astud. 'Dathlu'r llwyfan ar y cerdd dant.'

'Nag ewn ni, wir!' rhuodd y Difa. 'Os nag yw Heulwen yn dod 'da ni, sai'n mynd. Ffona'r lle 'na i ganslo. Ni'n mynd 'nôl i'r garafán i ga'l pishyn o ham a gweddill y tato i swper.'

Cadwodd Glyn ei geg ar gau.

13

Nid byw celwydd oedd anoddaf, ond ei ddweud. Wrth fyw celwydd, mae twyllo'r hunan mor hawdd ond does dim cuddio rhag geiriau noeth ar dafod.

Doedd Dan ddim yn ei wely.

Allan roedd o. Yn ceisio iro'r pwyo yn ei ben ag awyr iach y llyn, yn dianc rhagddi, wrth i'r pedair wal hyn fynd yn drech na nhw unwaith eto.

Wrth ddringo'r grisiau 'nôl i'w hystafell diolchodd Heulwen am sensitifrwydd Glyn, am ei allu i weld heibio i'w chelwydd.

Eisteddodd ar y gwely a chladdu ei phen yn ei dwylo. Bu'n ddiwrnod anodd yn llygaid y genedl a'r holl alwadau arni wedyn, yr holl wahoddiadau i'w gwrthod. Mewn ffordd, roedd hi'n falch mai gwahoddiad Dilys i Fraich y Castell ddaeth gynta, gan i hwnnw wneud y tro i wrthod y lleill yn ystod gweddill y diwrnod.

Gwingai ochrau ei cheg wedi'r holl wenu. Mwythodd nhw. Syllodd yn hir ar y carped patrymog henffasiwn. Pa mor hir fyddai'r act yn para?

Cododd i estyn ei dyddiadur er mwyn ceisio rhoi trefn ar yfory yn ei phen. Dawnsiai'r geiriau'n ddisytyr o flaen ei llygaid. Rhaid ei bod hi wedi blino mwy nag a ddychmygodd. Doedd dim owns o egni'n weddill ynddi.

Ceisiodd ymresymu â Dan wedi iddi ddychwelyd o'r maes a'i weld yn ei gwrcwd wrth y gwely'n beichio crio. Rhaid bod pethau'n anarferol o ddrwg iddi roi cynnig ar wneud hynny.

Cytunodd i ganslo'r pryd bwyd efo Glyn a Dilys, ond doedd hynny ddim yn lleddfu mymryn ar y sŵn a ddôi o gyfeiriad Dan.

Ystyriodd Heulwen alw doctor, ond i beth? Beth mewn difrif allai hynny ei gyflawni? Aeth Heulwen i orwedd ar ei hochr hi o'r gwely a gadael iddo ddod ato'i hun.

Rhaid ei bod hi wedi hepian gan nad oedd golwg o Dan pan agorodd ei llygaid ymhen deugain munud, a rhywun yn cnocio ar y drws yn deud wrthi fod Mr Glyn Edwards yn holi amdani.

★

Anelodd Heulwen i gyfeiriad y llyn, gan feddwl yn siŵr mai'r ffordd honno y byddai Dan wedi mynd.

Ceisiodd roi trefn ar yr hyn fyddai hi'n ei ddweud wrtho ond wyddai hi ddim yn iawn ei hun. Roedd ei weld wedi torri awr neu ddwy ynghynt wedi gwneud iddi edrych arnynt ill dau mewn golau newydd. Doedd dim ffordd o barhau. Rhy debyg oedd hi a Dan ar sawl ystyr – doedd yr un ohonyn nhw'u dau'n gallu gollwng gafael. Gadael fod. Gadael.

Daeth ato ar ôl gweld ei silwét o bell yn llonydd llonydd rhyngddi a'r llyn, fel pe bai o'n disgwyl i fwystfil, neu law am garn Caledfwlch neu ddyn a ŵyr be, godi o'r dyfnder tuag ato. Daliodd i gerdded tuag ato gan obeithio na fyddai o'n troi a'i gweld hi'n cyrraedd.

Wnaeth o ddim.

A wnaeth o ddim synnu chwaith pan gyrhaeddodd hi wrth ei ochr, mor naturiol rywsut â phe bai hi ond wedi cerdded o un ystafell i'r llall.

Gallai afael yn ei law, meddyliodd. Dangos iddo na ddymunai loes iddo, mai'r peth dwetha oedd arni ei eisiau oedd iddo ddioddef. A gwyddai na allai wneud hynny, oherwydd pe bai'r fath beth yn wir, byddai wedi byw'n wahanol ers chwarter canrif, wedi gallu osgoi rhoi'r holl ddioddefaint iddo.

Cymaint o sôn sy 'na am gariad, a neb â'r syniad lleiaf beth yw ystyr y gair yn ei hanfod. Onid gair arall am y dioddef yma rhyngddynt ydoedd, dyna'r cyfan? Y dioddef a achoswn i'n gilydd? Gwaed byw dioddefaint yn berwi'n swigod hyll drwy ein holl ymwneud. Yma i ladd ein gilydd ydyn ni, meddyliodd Heulwen, difa ein gilydd drwy gydfodoli.

Ac eto, teimlai ei bod hi'n anelu at ddrws agored am y tro cyntaf ers amser hir, a Dan, a oedd wedi bod yn ceisio'i chyfeirio at ddrws agored ers degawdau bellach, ei hangen *hi* i'w gyfeirio *fo*...

'Mi wnâi les,' meddai hi ymhen hir a hwyr.

Symudodd Dan tuag at y cychod ar lan y llyn a cheisio dal llygaid y dyn a'u gwyliai.

★

Allan ar y llyn, dim ond sŵn y rhwyfau'n crafu'r dŵr oedd i'w glywed. Dan oedd yn rhwyfo. Wnaeth Heulwen ddim cynnig gwneud.

'Mi wnâi les,' meddai hi eto.

'Ildio,' meddai Dan yn ddiflas, ond roedd Heulwen yn clywed yn ei lais ei fod o'n barod i ildio'r tro hwn.

'Fedra *i* ddim newid,' meddai Heulwen, a gwybod wrth yngan y geiriau pa mor wirion oedd dweud peth mor amlwg – sylfaen y cwbwl: 'fedra i ddim newid'. Heb y frawddeg honno, byddai pob un dim yn wahanol. Ond 'fedra i ddim newid' oedd yno, yn wirionedd disyfl.

'Ac alla i ddim aros yn yr un lle,' meddai Dan. Dau wirionedd yn eu priodas. Dau absoliwt, wedi'u dweud. Y gwrthbwynt a roddai ben draw i bethau.

'Ddim yr amser gorau i werthu tŷ,' meddai Heulwen.

'Falle na fydd rhaid,' meddai Dan.

'Dyna fysa ora,' meddai Heulwen.

Wedyn, wedi gwrando ar y rhwyfau'n taro'r dŵr am rywfaint yn hwy, ychwanegodd:

'Taswn i'n gwbod fod 'na gymaint o deimlad o ryddhad wrth ollwng, ella…'

'Falle wir,' cytunodd Dan.

Teimlai Heulwen mai dyma'r agosaf roedd hi wedi'i deimlo at Dan ers i Megan farw – yma ar Lyn Tegid yn trefnu eu hysgariad.

14

Methai gredu ei lwc. Bwrdd cyfan gwag yn y babell gwrw ar brynhawn ola'r Steddfod a channoedd lawer o gantorion corau Cymru gyfan o'i gwmpas yn chwilio am le i eistedd. Roedd Twm wedi pasio'i beint iddo dros fôr o bennau wrth y bar a'i ystum yn dweud wrtho am fynd i chwilio am le i eistedd. A bron yn syth, roedd teulu cyfan wedi codi o'i flaen, fel pe bai e'n Foses, ac roedd yntau, yn lle hofran yn ansicr yn ôl ei arfer, wedi bachu'r bwrdd, wedi eistedd ac wedi gosod ei siaced côr wrth ei ymyl i gadw lle i Twm, a'i fag plastig Cyngor Llyfrau yr ochr arall i gadw lle i Nigel. Eisoes roedd dau neu dri o ddynion côr y Rhos (yn ôl eu hacenion) wedi meddiannu pen arall y bwrdd, ond pa ots, roedd ei ben-ôl ar bren o'r diwedd ar ôl bod yn sefyll drwy'r prynhawn yn y babell ymgynnull ac wedyn ar y llwyfan.

Hanner cododd i godi ei law ar Twm i ddangos iddo lle roedd e, ond doedd e ddim yn siŵr a welsai Twm e. Ond eisteddodd yn ei ôl a magu ei beint heb gymryd sip, gan sawru'r foment. Bu'n Steddfod ddigon da iddo wedi'r cyfan. Cadwodd oddi ar y pop i raddau helaeth wedi'r noson gyntaf, a chafodd lonydd gan y Difa i ysgrifennu'r nofel dros ran helaeth o'r dyddiau wedyn, er nad oedd yn agos at orffen y bennod gyntaf. Gallodd hefyd oddef hwyl drwg y Difa'r diwrnod cynt wedi i'r parti llefaru fethu cael llwyfan.

Bu'n rhaid iddi roi heibio'r bwriad o ymarfer ym mhabell Maes C pan welwyd cyn lleied o'r parti llefaru oedd wedi trafferthu ymddangos. Arweiniodd Dilys y ddwy neu dair a wnaethai'r ymdrech ar draws y maes carafannau i gyfeiriad y maes, gan fytheirio'r holl ffordd. Cafwyd hyd i'r merched eraill – pawb ond Tracy (nad oedd hyd yn oed y Difa'n dal unrhyw obaith y byddai hi wedi dod yn agos i'r Bala) a Janine a Siân.

Roedd y Difa wedi pledio ar y stiwardiaid i adael iddyn nhw lefaru'n olaf yn y gobaith y dôi'r ddwy i'r golwg, a disgwyl wedyn wedi i'r partïon eraill i gyd berfformio. Roedd y stiward wrthi'n dweud bod yn rhaid iddyn nhw lefaru er mwyn dod â'r gystadleuaeth i ben, a'r beirniaid wedi dechrau hel eu stwff, pan redodd Siân a Janine i mewn yn llawn o sorris – roedd car mawr mam Siân wedi dewis bore dydd Gwener y rhagbrawf llefaru yn yr Eisteddfod Genedlaethol i chwythu ei olaf blwc ar ben arall Llyn Tegid, a'r ddwy wedi gorfod cael tacsi o Lanuwchllyn. Dechreuodd Janine gwyno wrth y Difa am gost y tacsi bron cyn iddi orffen llefaru'r gair olaf.

O leia gallai'r Difa ddadlau wedyn nad safon yr adrodd

oedd ar fai: bu'n bwrw drwyddi wrth Glyn yn ystod gweddill y dydd, gan feio Siân, Janine, mam Siân am beidio bod yn berchen ar gar dibynadwy; y stiward am roi pwysau arnyn nhw i berfformio er bod hanner awr gyfan ers i'r parti diwethaf orffen; y beirniad am eu beirniadu am fod yn hwyr yn hytrach na'u safon; a Glyn wrth gwrs – jyst am fod yn Glyn, am wn i, meddyliodd.

A heddiw, ni ddaethai ei gôr yn agos at ennill. Tybiai Glyn mai nhw oedd y côr a ganodd waethaf o'r corau i gyd ond doedd hynny'n tynnu dim oddi ar ei hwyliau da. Roedd y Difa wedi cau ei cheg am Heulwen a Dan ers i Heulwen ei phechu drwy beidio â dod am bryd o fwyd i Fraich y Castell, ac ni welodd Glyn liw croen yr un o'r ddau dros y dyddiau wedyn. Gallai anghofio am Llion tan y byddai adre fory, a mwynhau rhai oriau o gwmni diddan y corau a'r canu dros y cwrw yn y babell fwyd ac wedyn dros win ar y maes carafannau. Gwenai'r haul arno.

Gwelodd wyneb cyfarwydd yn y ciw o flaen y stondin gyrri a chrafodd ei ben wrth geisio meddwl lle roedd e wedi'i weld o'r blaen. Safai a'i braich drwy fraich rhyw fachan a wisgai wên ryfedd. Ar ôl syllu am rai eiliadau ar y bachgen yn gwthio gwelltyn i'w geg o'i gan Coke, sylweddolodd fod ei ddannedd wedi'u weirio, ac mai dyna pam roedd e'n gwisgo gwên mwnci. Rhian. A Rich Evans. Hwn, felly, fu ar ben arall dwrn Llion.

Cododd Glyn ei law at ei wyneb, rhag ofn i Rhian droi'n sydyn a'i adnabod, ond go brin y disgynnai ei llygaid arno ef yn fwy nag un o'r cannoedd o ddynion wrth fyrddau'r lle bwyd. Cofiai i Rhian, flwyddyn neu ddwy ynghynt pan oedd hi gyda Llion, geisio'i gymell i ddod gyda hi i ryw steddfod neu'i gilydd, a Llion yn gwrthod yn lân. Rhaid bod mwy o asbri steddfod yn perthyn i'r Rich yma nag i'w fab, neu'n hytrach ei fod yn barotach i ildio i ddymuniadau ei gariad. Teimlodd Glyn efallai y dylai godi a mynd atyn nhw i'w gyflwyno'i hun. Gallai ymddiheuro o waelod calon am beth wnaethai ei fab i'r creadur, gan obeithio y byddai hynny'n ddigon i'w gymell i dynnu'r cyhuddiad yn ôl neu i fod yn llai hallt ar Llion. Ond efallai mai gwell fyddai peidio. Roedd gan Glyn weddill y dydd i'w fwynhau gyda'r bois.

Lle oedd Twm a Nigel? Trodd i edrych i gyfeiriad y bar a sganio'r dyrfa am ben moel Twm.

'O'ch chi'n anobeithol,' meddai'r Difa y tu ôl iddo.

'Diolch, Dilys.' Trodd Glyn i'w hwynebu. Gallai weld Rich a Rhian yn talu am gyrri tu ôl iddi. Pe gwelai'r Difa Rhian, byddai'n ei hadnabod yn syth.

'Sai'n gwbod pam chi'n boddran cystadlu.'

'Na finne,' cytunodd Glyn. Gwelodd Rich a Rhian yn cerdded i ffwrdd ar draws y maes, a Rhian yn pigo ar ei chyrri wrth i Rich sugno ar ei welltyn.

'Ond fe sesiwch chi 'run fath,' gwawdiodd y Difa. 'Cofia'n bod ni'n 'i throi hi 'fore.'

'Do's dim rhaid i ni fynd yn gynnar,' mentrodd Glyn. Gwnâi rai oriau ychwanegol o gwsg les mawr i'r hangofyr anorfod.

'O's,' meddai'r Difa. 'Ni'n codi Heulwen a Dan wrth y White am ddeg.'

'Pryd setlest ti hyn?'

'Weles i gip ar Heulwen wrth y Babell Lên gynne, yn siarad 'da Hywel Teifi. Wedes i elen i â nhw i'r garej i nôl y car.'

A chafodd hi ddim cyfle o fath yn y byd i'w gwrthod, siŵr dduw. Y Difa'n dweud, pawb arall yn derbyn. Suddodd ei galon wrth feddwl am orfod rhannu'r car â'r ddau unwaith eto.

'Ti moyn peint?' holodd Glyn i gael gwared arni.

'Paid â siarad dwli,' wfftiodd y Difa gan droi i fynd.

Gwyliodd Glyn ei phen-ôl gwyndrywsusog yn ysgwyd ei ffordd drwy'r babell fwyd nes bod y bagiau Salvi a Cherdd Ystwyth a gariai yn bownsio i bob cyfeiriad.

Daeth Twm o rywle a diolch iddo am gadw sedd iddo. Cododd Glyn ei siaced côr a'i gosod o'i flaen ar y bwrdd i wneud lle iddo.

'Bryd am bach o ganu,' cyhoeddodd Twm.

'Gad i'r bois ga'l 'u gwynt atyn nhw gynta,' meddai Glyn a chymryd dracht hir o'i beint.

'I'r tafarne wedyn?' holodd Twm. 'Ti wedi ca'l wthnos sych. Ma'n bryd gwlychu tipyn ar dy dafod di.'

''Wy'n dreifo adre am ddeg bore fory,' meddai Glyn.

'Esgusodion, esgusodion,' mwmiodd Twm i'w beint. 'Jiw jiw, 'drycha pwy sy fan 'yn!' ychwanegodd gan godi'i ben a syllu drwy drwch y dyrfa.

Trodd Glyn. Pwy oedd hwn wedi'i weld 'to? Disgynnodd calon Glyn drwy bwll ei stumog wrth iddo nabod Llion yn nesu atyn nhw. Beth ddiawl oedd *hwn* yn neud 'ma?

'*Pater*. Twm 'chan.'

'Beth uffach... ?'

''So ti'n falch fod dy uniganedig fab yn dangos diddordeb yn y Pethe?' gwenodd Llion wrth weld y syndod ar wyneb Glyn.

Edrychodd Glyn o'i gwmpas yn wyllt i wneud yn siŵr fod y Difa, a Rich a Rhian, wedi diflannu.

'Dwrnod bant?' gofynnodd Twm yn hafaidd.

'O's,' meddai Llion. 'Allen i ddim colli mas ar y Steddfod, allen i?'

Bu'n ddigon bodlon colli pob un Steddfod ers deuddeg mlynedd pan dyfodd yn ddigon hen i wrthryfela, meddyliodd ei dad.

'Beth ti'n neud 'ma?' cyfarthodd Glyn. Beth pe bai'r Difa'n troi ar ei sawdl, a dod 'nôl wedi iddi gofio rhyw orchymyn arall roedd hi am ei roi i'w gŵr?

''Na groeso!' meddai Llion. 'A finne'n neud ymdrech.'

Meddyliodd Glyn am y ddau o flaen y stondin gyrri. Ai dyna pam roedd e yma? Wedi clywed o rywle ei bod hi'n fwriad gan Rhian – neu Rich – i ddod yma, ac wedi dilyn yr un trywydd â nhw er mwyn creu trwbwl?

'Whare teg i ti 'chan! Gobeitho bod llais canu da 'da ti,' meddai Twm gan godi. 'Beth gymri di? 'Yn rownd i yw hon.'

''So fe'n yfed, ma fe'n dreifo,' chwyrnodd Glyn.

'Neith un bach ddim drwg,' meddai Llion. 'Peint o win y gwan. Diolch, Twm.'

Anelodd Twm at y bar ac eisteddodd Llion yn ei sedd. Oedd Glyn yn mynd i fentro sôn iddo weld Rhian a'r cariad rai munudau'n ôl yn sefyll yn fyn 'na, jyst fyn 'na, a bod y Difa newydd fod 'ma, a hithau'n gwybod dim am drafferthion Llion? Ai lluchio petrol ar y tân fyddai hynny, neu rybudd, ac apêl at ryw gallineb ym meddwl ei fab yr amheuai Glyn yn fawr oedd e yno o gwbwl?

'Shwt a'th hi 'te? Enilloch chi?' holodd Llion.

Ysgwydodd Glyn ei ben. 'Ers pryd wyt ti lan?'

'Bore 'ma. 'Wy wedi gweld yr *attractions* i gyd. Heblaw'r *pyjama brigade*. Sai wedi gweld dim un o'r rheiny 'to.'

'Y beth… ?'

'Odi'r driwids yn ca'l dwrnod bant ar ddydd Sadwrn?'

'Llion…' dechreuodd Glyn.

'O's rwbeth i weud bo fi ddim yn ca'l dod i Steddfod?' Clywai Glyn gweryl yn llais ei fab. 'Iesu Grist, *Pater*! Fuoch chi'n llusgo fi 'ma wrth 'y ngwallt am flynydde, a'r eiliad 'wy'n penderfynu dros 'yn 'unan bo fi moyn dod, 'so ti moyn fi 'ma. 'Wy ddim digon crachedd i ddod 'ma, 'na beth sy'n bod? Rhy blydi *common*? Ddim yn gwbod digon am farddonieth, ddim yn nabod Dic Jones, a Waldo blincin Williams, ac Angharad blydi Mair?'

'Ma Waldo wedi marw ers…'

''Wy'n gwbod 'ny! Ti'n meddwl mai twat bach twp 'wy i, yn dwyt ti? Ffili nabod englyn 'se fe'n cwmpo ar 'y nhro'd i; ffili gweud y gwa'nieth rhwng pafiliwn a paflofa, neu rhwng y cyfansoddiade a'r cyfleustere piso.'

Roedd ei lais wedi codi, a Glyn wedi gostwng ei ben bron i'w beint.

''So ti'n nabod fi o gwbwl, wyt ti? 'So ti'n meddwl bo 'da fi farblen yn 'y mhen, ti na'r Difa − rio'd wedi. Achos bo fi ddim yn canu mewn côr neu'n blydi llefaru a neud stymie fel hyena ar *speed* ar y stêj 'co, sai cweit yn Gymro, a sai'n ca'l mensh yn Llyfyr Cownts y genedl.'

'Pam ti'n gwylltio 'da fi?' ceisiodd Glyn ddadlau 'nôl. ''Da dy fam allen i ddyall, ond pam…'

'Chi i gyd yr un peth,' daliodd Llion ati. 'Y smyg bastyrds sy'n cerdded rownd ca' unweth y flwyddyn, yn pato'u hunen ar 'u cefne am "gynnal y traddodiad",' gwnâi lais snob − digon tebyg i'r Difa, meddyliodd Glyn, 'cadw'r iaith yn fyw i'r oesoedd a ddêl y glendid a fu. Glendid, myn yffach i! Crap yn agosach ati. Chi'n llawn bwlshit. Dod man 'yn i inffleto'ch egos, i basco yn y ffaith bo chi'n ca'l 'ych *talu* i siarad Cymrag – byw ar 'i chefen hi.' Trodd i wynebu'r dyrfa. 'Faint o'r rhein sy ddim yn ca'l 'u talu i witho yn Gymrag, fel athrawon, cyfieithwyr, cyflwynwyr teledu, a duw a ŵyr beth arall? Digon rhwydd i chi ddod 'ma'n goc i gyd a gweud "'wy'n neud yn reit dda diolch yn fawr, diolch i'r Gymrâg." Chi'n meddwl bo chi *gymint* gwell na'r bois sy'n dod miwn i'r dafarn 'co ac yn siarad Cymrag *heb feddwl obutu'r peth*, achos bod e'n *ail natur* iddyn nhw, yn 'u *gwa'd* nhw, ddim achos bo nhw'n ca'l 'u talu am neud!'

Beirniadaeth braidd yn annheg yn achos mwyafrif aelodau'r corau meibion, meddyliodd Glyn, ond ni leisiodd ei bwynt o wybodaeth, a Llion yn marchogaeth gan milltir yr awr ar gefn ei geffyl.

'Dregs, 'na beth y'n ni, y ffycyrs dwl sy'n siarad Cymrâg heb ga'l dim byd 'nôl am neud.'

''Na pam ddest ti i'r Steddfod? I ddangos bo ti'n ddigon da?'

'Ie,' diflannodd ei dymer mewn amrantiad wrth iddo gymryd sip o beint Glyn, 'ac achos bod Rhian 'ma.'

'O'n i'n gwbod!' ebychodd Glyn.

'Ti 'di 'i gweld hi?' Fflachiai'r gobaith yn ei lygaid, a'i fab yn blentyn bach unwaith eto. Wedi methu gwisgo'i deimladau dyfnaf yng ngharthen ei brafado arferol.

'Ddim dim ond Rhian,' meddai Glyn.

'Nage. Wedodd 'i ffrind bod hi'n dod, ond wedodd hi ddim bod y brych yn dod 'fyd. Ond o'dd e bownd o ddod, yn'd o'dd e? 'So fe'n 'i gadel hi mas o'i olwg.'

'Shwt allet ti dorri'i ên e, Llion?'

'Rhwydd. Lefft hwc. Reit fyn 'na,' pwyntiodd at waelod

gên Glyn. 'Lle o'n nhw?' Edrychodd o'i gwmpas.

'Cer adre, Llion.'

'Gweda. Lle welest ti hi? Pryd welest ti hi?'

'Ma orie ers 'ny,' meddai Glyn yn gelwyddog. 'Fyddan nhw wedi hen fynd, siŵr o fod. Cer adre, Llion. Plis. Dwi ddim wedi ca'l cyfle i weud wrth dy fam 'to.'

'Faint o gyfle sy ishe ar ddyn? Ti 'di ca'l wthnos. Becso ambutu gweud wyt ti?'

'Nage, ofan drwy dwll 'y nhin a mas, i ti ga'l gwbod.'

'Weda i wrthi 'te. Yn y big top ma hi?' Edrychodd i gyfeiriad y pafiliwn.

'Na 'nei di *ddim*,' meddai Glyn yn bendant. 'Weda i wrthi fory yr eiliad gyrhaeddwn ni adre… *os* ei di adre nawr.'

'Ma Twm yn prynu peint i fi.'

Rhoddodd Glyn ei law ar law ei fab ar y bwrdd. 'Plis, Llion,' erfyniodd gan edrych i lygaid ei fab. 'Alli di ddim fforddio rhagor o drwbwl.'

'Jyst moyn siarad 'da hi, 'na i gyd,' meddai Llion yn daer. 'Gweud wrthi… gweud…'

'Ma *fe* gyda hi. Do's dim posib i ti siarad 'da hi, hyd yn o'd os y'n nhw'n dal ar y maes.'

Rhoddodd Llion ei law drwy ei wallt ac ystyried. Gwyddai fod ei siwrne'n un ofer.

'Sgwenna lythyr ati os ti moyn, ond paid â mynd i gwrdd trwbwl, Llion bach. Gwranda arna i. Pwy iws fyddi di iddi'n jêl?'

'OK, OK,' ildiodd ei fab. 'OK. A' i adre. Gas 'da fi'r blydi lle 'ma, ta beth. Gwed wrth Twm ga i'r peint 'na rwbryd 'to.'

Cododd ar ei draed, ond daliai Glyn i afael yn ei law.

Gwasgodd hi, i geisio cyfleu'r hyn na allai geiriau ei wneud. Nodiodd Llion a thynnu ei law'n rhydd. Gwyliodd Glyn ef yn mynd o'r golwg drwy siacedi tywyll yr holl feibion eraill i gyfeiriad y fynedfa.

15

Erbyn naw o'r gloch, roedd Twm a Nigel wedi cael llond bol ar dorfeydd y tafarndai ac am ei throi hi'n ôl am y maes carafannau gan barhau i ddathlu aflwyddiant y côr. Nid oedd Glyn damaid o eisiau mynd yn ôl o fewn cwmpas radar y Difa, ond ni chafodd fawr o ddewis yn y mater gan y ddau arall. Mentrodd awgrymu eu bod yn hel cadeiriau wrth babell Twm a sefydlu gwersyll yn y fan honno, ond roedd bryd Twm a Nigel Pwll ar feddiannu ei adlen ef a'r Difa, yn ddigon pell o sŵn plant Nigel. Yn wahanol iddo ef, doedd ar yr un o'r ddau ofn y Difa. Os rhywbeth, byddai ei sylwadau sarhaus wrth iddyn nhw dynnu arni'n destun peth wmbreth o sbort i'r ddau yn eu cwrw, a rhaid i Glyn gyfaddef fod y pum peint yn ei stumog yn ei wneud yntau'n dipyn dewrach dyn i'w hwynebu na phe bai'n sobor.

Estynnodd y cadeiriau gwersylla o'r adlen fel y gallen nhw gael mwynhau'r machlud wrth ddrachtio'r gwin. Tytian yn unig a wnaethai'r Difa wrth iddyn nhw lanio ac ni thynnodd ei llygaid oddi ar sgrin y teledu. Gwyddai Glyn nad oedd llach ei thafod hithau hyd yn oed yn cymharu â gallu dihafal Twm i dynnu'r pìs allan ohoni, yn ei ffordd gyfrwys ei hun.

Roedd hi wedi hen dywyllu pan safodd Glyn ar ei draed

a chyhoeddi ei fod am drecio ar draws y maes carafannau at y tai bach. Teimlodd ei hun yn sigledig ar ei draed.

'Ti moyn help?' holodd Nigel wrth ei weld yn bustachu am gefn y gadair i sadio'i hun.

'Alla i ddod i ben â phiso ar 'y mhen 'yn hunan, diolch.'

Anelodd yn droetrwm am y toiledau a phenderfynu rhoi'r gorau i'r trec bron yn syth. Ni welai neb ef yn gollwng ei ddŵr wrth ochor y clawdd. Roedd Twm a Nigel i'w clywed yn canu, a sŵn plant o bell, ond gallai biso fan hyn, allan o olwg ffenestri carafannau, a hithau'n ddigon tywyll rhag llygaid unrhyw adyn arall a ddigwyddai fod yn cerdded heibio.

Teimlodd ryddhad wrth ollwng ei lif melyn wrth fôn y goeden, a gwnaeth ymdrech lew i beidio â gwlychu ei sgidiau.

'Wps!' meddai llais cyfarwydd y tu ôl iddo. Trodd yn ei sioc a gwlychu gwaelod ei drowsus. Rai camau oddi wrtho, safai Heulwen. Blydi ffyc, meddyliodd, a methu'n lân ag atal y llif o'i gopis.

'Esgusoda fi,' meddai Heulwen a cherdded heibio iddo gan wenu'n llydan.

'Shit!' gwaeddodd ar ei hôl. 'Sorri! Sorri! Shit!'

Bustachodd i gau ei gopis ar ddiferion olaf ei bledren, gan wlychu mwy ar ei drowsus wrth wneud hynny.

Rhedodd ar ei hôl a'i draed yn sgweltsian piso, gan dasgu 'sorris!' i'w chyfeiriad. Ond roedd hi'n dal i wenu.

'Ydi Dilys yn dal ar 'i thraed?' holodd Heulwen yn ddiniwed. Am eiliad, meddyliodd Glyn mai gofyn a oedd y Difa'n dal yn ddigon sobor i sefyll oedd Heulwen, cyn deall. 'Yndi! Yndi, dwi'n meddwl. Yn y garafán.'

'Ia siŵr,' meddai Heulwen. Cerddodd y ddau yn ôl at

Twm a Nigel.

'Ym…' dechreuodd Glyn ei chyflwyno iddynt.

'O'n i'n meddwl mai mynd am bishad 'nest ti,' meddai Twm. 'Ddim mynd am fachad.'

'Dr Heulwen Pears. Twm. Nigel.'

Sylweddolodd Twm pwy oedd hi'n syth er nad oedd e erioed wedi'i gweld heblaw ar y sgrin. 'Shwt y'ch chi?'

Gwenodd hithau wrth ei gyfarch.

Roedd clustiau'r Difa wedi clywed llais ei heilunes ac roedd hi eisoes wedi cyrraedd drws yr adlen.

'Heulwen!' cyfarchodd hi'n gynnes. 'Beth sy'n dod â ti draw yr adeg yma o'r nos?'

Dyw pawb ddim yn mynd i'w gwlâu am hanner awr wedi deg fel ti, Dilys, meddai Glyn yn ei ben.

'Dere fewn i'r adlen o ffordd yr hen ddynion 'ma,' gorchmynnodd y Difa.

Gwenodd Heulwen ar y tri a dilyn y Difa i mewn drwy ddrws yr adlen. Hofranodd Glyn am eiliad, cyn eu dilyn.

'Isio rhoi petha'n strêt ydw i,' meddai Heulwen wrth y Difa. 'Am Dan a fi.'

Eisteddodd Glyn ar stepen y garafán gan anwybyddu'r 'cer mas' yn llygaid y Difa. Roedd ganddo gymaint o hawl â hithau i glywed beth oedd gan Heulwen i'w ddweud.

'Mi a'th Dan adra ddydd Mawrth.'

'Shwt?' saethodd y Difa ati.

'Bỳs at y car, a'r car adra,' meddai Heulwen. 'Mi ffoniodd o gynna. Mae o'n dod i fyny i nôl i yn y bora.'

'Pam na wedest ti'r prynhawn 'ma?' Ni allai'r Difa guddio'r cyhuddiad yn ei llais.

'Wel, ym... ches i'm llawar o gyfla,' gwenodd yn swil. Naddo, fe fentrai Glyn. Byddai'r Difa wedi dweud a dyna fe. 'Drish i chwilio amdana chdi ar ôl i Hywel Teifi fynd, ac roedd gin i ddrama i fynd i'w gweld heno, neu 'swn i wedi dod draw yn gynt.'

Tynnodd y Difa gadair iddi ac eisteddodd Heulwen. Roedd y Difa eisiau gwybod mwy. 'Sym,' meddai wrth Glyn a symudodd yntau iddi gael eistedd ar y stepen. Eisteddodd Glyn ar y pentwr o gesys llawn dillad budron.

'Sâl o'dd Dan?'

'Ia,' meddai Heulwen, cyn oedi i ystyried faint i'w ddweud a phenderfynu ychwanegu, 'mewn ffordd'.

Clywai Glyn leisiau Twm a Nigel yn canu tu allan, yn y gobaith o ddenu dynion o gorau eraill atyn nhw.

'Waeth i chi ga'l gwbod ddim. Tydi petha ddim yn dda...'

Roedd cyfaddef yn ymdrech amlwg iddi. Dwi'n gwbod yn barod. Paid â rhoi dy hunan drwy'r boen o ddweud eto, meddai Glyn wrthi yn ei ben.

'Oo?' cododd llais y Difa dros bump nodyn. 'Rhwng Dan a ti, ti'n feddwl?'

Wrth gwrs mai 'te, pwy arall, yr hat!

'Ddim ers blynyddo'dd, a deud y gwir.'

Estynnodd Glyn wydryn gwin iddi a gafael mewn potel o'r bocs i'w hagor, er nad oedd angen iro'i thafod yn ôl pob golwg.

'Cer allan at y ddau idiyt 'na i weud wrthyn nhw am fynd â'u sŵn o 'ma!' gorchmynnodd y Difa wedi iddo arllwys gwin i Heulwen. 'A cere dithe 'da nhw.'

Aeth Glyn at ddrws yr adlen.

'Bois,' dechreuodd, cyn sychu. Doedd dim gobaith eu hel oddi yno. Os na fyddai'n ofalus, dôi'r ddau i mewn i'r adlen atyn nhw, a beth fyddai gan y Difa i'w ddweud *wedyn*? Drachtiodd dri llond cegaid o'r botel win yn ei law a mynd yn ei ôl i mewn.

'Dydi petha ddim 'di bod yn iawn ers colli Megan,' meddai Heulwen.

'Amser hir,' meddai'r Difa.

'Fedar o ddim siarad am y peth. Fuodd o rioed yn medru siarad yn iawn amdano fo.'

Dylai Glyn fynd allan at y lleill, fe wyddai. Pa asgwrn yn ei gorff, pa feddwl gwyrdroëdig yn ei ben oedd yn ei dynnu yma i wrando arni? Roedd wedi llwyddo i'w chau allan drwy ddyddiau bwy'i gilydd a dyma hi yma'n dad-wneud ei holl ymdrechion.

'A'r cyfan o'n i isio'i neud *oedd* siarad. Trio neud synnwyr o rwbath nad oedd 'na synnwyr iddo fo, drwy siarad amdano fo, a Dan yn deud a deud bo 'na'm lles i'w gael o siarad, fysa siarad ddim yn dod â hi nôl.'

Y teganau yn ei stafell ffrynt ddaeth i feddwl Glyn. Lle roedden nhw? Pryd oedd y ddau wedi llwyddo i'w taflu nhw? Eliffant llwyd ac abacws bach plastig bob lliw y byddai ei bysedd bach wedi rhedeg dros y peli; recorder plastig coch y byddai ei gwynt hi wedi'i chwythu nes tynnu'r to; a thedi bêr gwyn meddal a rhuban coch am ei wddw... cofiai Glyn nhw oll yn glir. Oedd Heulwen wedi eu cadw, i'w byseddu a'u mwytho pan na allai fwytho'r ferch fach; wedi tynnu ei bysedd drostyn nhw gan eu hysu i ddilyn ôl trywydd y plentyn drostyn nhw; neu a oedd Dan wedi mynnu eu rhoi yn y bin i'w lluchio, i ddileu'r cof am Megan? Pam, holodd ei hun eto, pam na ddaeth plentyn arall i lenwi'r bwlch?

'Un fel 'na ydi Dan. Cau pob dim tu mewn iddo.'

'Dynion,' meddai'r Difa.

'Symud. Anghofio amdani. Dyna oedd o isio go iawn. Ac mi symudon ni.'

Dileu'r cof am hapusrwydd a ddygwyd ymaith.

'Dydi hynna ddim cweit yn deg,' cywirodd Heulwen ei hun. 'Fedra fo ddim siarad, na, ond fedrwn inna ddim stopio siarad chwaith. Siarad a gneud. Mynd, mynd, mynd, fatha rwbath 'im yn gall.' Siaradai'n ddistaw a digyffro am bethau uffernol.

''Nest ti fywyd newydd i ti dy hunan,' ceisiodd y Difa gysuro.

'Do, 'yn do.' Distawodd. Roedd y Difa'n amlwg yn ceisio meddwl beth i'w ddweud nesa. 'Llenwi'r gwacter efo pob dim fedrwn i.'

Ond edrych arnat ti, gwaeddodd Glyn arni'n fud. Edrych beth wyt ti; edrych mor bell rwyt ti wedi dod. Rwyt ti'n *rhywun*, yn *ddiawch* o rywun! Yn destun edmygedd pob ffrymp o wraig tŷ a mam. Ac yn destun addoliad dynion. Un o wynebau'r genedl; dewis y bobl; brenhines ein llên gyfoes – un o feirniaid y Goron, ffor ffycs sêcs! Ar ôl chwarter canrif, does bosib nad yw hynny'n ddigon?

'Beth bynnag, 'dan ni wedi penderfynu gwahanu,' meddai Heulwen.

'Pam nawr, ar ôl yr holl amser?' holodd y Difa.

'*Achos* yr holl amser,' ceisiodd Heulwen egluro, cyn tewi.

Rhoddodd y Difa ei llaw ar ei braich, ond tynnodd Heulwen yn rhydd o'i chyffyrddiad yn raddol, heb wneud hynny'n rhy amlwg.

'Dyna fo,' meddai Heulwen yn ysgafnach ar ôl cymryd

cegaid fawr arall o'i gwin. 'Ma'r cyfan 'di deud arnan ni braidd.'

Dympa fe, meddai Glyn yn ei ben. Gwareda dy hunan rhag ei lwydni. Bydd yn lliwgar rydd. Tafla fe i'r bin lle taflodd e deganau Megan. Gada fe ar ôl; caria di mla'n. *Edrych* arnat ti dy hunan, yn dy wychder ysblennydd a cherdda yn dy fla'n, ferch!

'Cerddwn ymla'n!' bloeddganai Twm a Nigel y tu allan, yn ansoniarus hyd yn oed i glustiau chwil Glyn.

Gwêl beth wyt ti – merch o flodau, a grëwyd o ddim, o ffrymprwydd digyfeiriad, di-bwynt; merch o flodau a phob lliw yn y byd ynot ti, heblaw llwyd; merch o flodau'r dewin a roddodd fod i ti.

Anadlodd Heulwen yn ddwfn. 'Ma'n braf ca'l bwrw bol.'

16

Daeth pen drwy ddrws yr adlen. Pen Llion. Cynhyrfwyd Glyn gymaint nes collodd y gwin roedd newydd ei ddrachtio i'w geg o'r botel.

'Henffych a hawddamor, gyfeillion,' cyhoeddodd Llion a chodi'r botel wisgi yn ei law tuag atyn nhw i'w cyfarch.

Cododd y Difa ar ei thraed a llid y fall ar ei gwedd.

'Beth yffach wyt *ti*'n neud 'ma?' meddai, fel pe bai'r diafol ei hun wedi rhoi ei ben rownd drws yr adlen i'w anrhydeddu nhw un ac oll â'i bresenoldeb.

Roedd Twm a Nigel yn ei ddilyn i mewn dan lusgo cadeiriau heb eu plygu tu ôl iddynt.

'Drychwch pwy sy 'ma,' cyhoeddodd Twm, yn siglo'n beryglus gan ddal fflap y drws a bygwth yr *eyelets* eto. 'Teulu bach Nantoer, myn jawl i!'

'Allen i byth droi am gatre heb weud helô,' meddai Llion.

'A galw hibo i bob tafarn yn y Bala *cyn* dod i weud helô,' trwmpedodd y Difa.

'Ffacin hel, fenyw, 'na i gyd s'da ti i weud a'r mab afradlon wedi dod gatre?'

Gwnaeth y Difa beth rhyfedd. Am y tro cyntaf iddo fe'i gofio, gwelodd Glyn hi'n gwrido. Gwnaeth beth rhyfedd arall. Trodd at Heulwen i geisio ymddiheuro am y sach gaib o fab a safai yno'n ei rhegi – ac ni lwyddodd i yngan gair. Safai yno, â'i cheg yn agor a chau fel pysgodyn aur.

'Mae'r pomgranadau pur,

Mae'r peraroglau rhad

Yn magu hiraeth cry'

Am hyfryd dŷ fy Nhad!' canodd Twm i lanw'r distawrwydd.

Syrthiodd Nigel ar ei eistedd ar y llawr, heb goes dano bellach.

'Hwn 'di Llion?' gwenodd Heulwen arno. 'Tro dwetha welish i chdi oeddach chdi'n fabi bach ym mreichia dy fam.'

Y teganau, cofiodd Glyn. Y teganau bach a neb ar ôl i chwarae â nhw. Y fenyw yn golchi ei galar yn y sinc a'r dyn na allai wynebu neb yn diflannu lan stâr, a'r fam ô Rydychen yn treial, treial, egluro.

'Wel wel!' meddai Llion, a rhoddodd y botel wisgi yn ei

law chwith er mwyn ysgwyd llaw â hi. 'Y Doctor Heulwen Pears, os nag 'wy wedi camgymryd!'

Estynnodd Heulwen ei llaw ato a bu bron i Llion gwympo ar ei hyd wrth iddo ei hysgwyd.

'Ofynna i eto. Beth wyt ti'n neud 'ma?' Roedd y Difa wedi dod o hyd i'w llais o'r diwedd.

'A *weda* i eto,' meddai Llion gan ddynwared tôn awdurdodol ei llais. 'Galw i weud helô.'

Eisteddodd yn y gadair roedd Twm newydd ei gosod iddo ef ei hun, yn rhy feddw i ddod rownd iddi.

'Lico'ch llyfyr diweddara chi,' meddai Llion heb dynnu ei lygaid oddi ar Heulwen. 'Barddoniaeth, ife?'

'Ia,' meddai Heulwen.

'Lico'r *clawr,* ta beth. Sai wedi dod rownd i'w ddarllen e.' Oedodd. 'Sai wedi dod rownd i brynu fe 'to whaith.'

Roedd Twm yn piffian chwerthin ar ei ben wrth geisio cynnau ffag.

'Rho wbod pan nei di. 'Swn i'n falch o dy farn di,' atebodd Heulwen heb adael i'w gwên lithro am un eiliad.

Chwipiodd y Difa'r sigarét o geg Twm.

'Ddim yn yr *adlen!*'

Edrychai Twm fel plentyn bach ar ôl i ddyn mawr cas ddwyn ei lolipop.

Rhoddodd Glyn ei ben yn ei ddwylo a llyncu rhagor o win yn y gobaith y gwnâi hynny gael gwared â phawb o'i flaen a'r lluniau yn ei ben.

'Ti'n fanijar ar westy, ro'n i'n clywed,' meddai Heulwen wrth Llion. Doedd hon, fwy na'r Difa, ddim yn gwybod pryd i gadw ei cheg ar gau.

Chwerthodd Llion yn chwerw. 'Mam wedodd 'ny? Ie,

siŵr o fod. Barman, Heulwen. *Barman*! 'Na beth ddoth o'r babi ym mreichie honco. Dim byd ond siom. A chi'n gwbod beth? Yr eiliad glywith y bòs bo fi yn y cwb, fydda i ddim yn farman whaith.'

Cymerodd rai eiliadau i'r Difa wneud synnwyr o'r newydd – o'r gair. Carchar, Dilys. Iwsa dy ddychymyg.

'Mas o 'ma,' trodd Twm am yr adwy ar ôl eiliadau o dawelwch. 'Nigel, sym dy din.'

'Pidwch mynd, bois,' meddai Llion. 'Nawr ma'r parti'n dachre.'

Doedd y Difa ddim eto wedi llwyddo i gau ei cheg. Rhythai i'w gyfeiriad fel delw fawr o Fwdha benywaidd.

'Cwb?' Tarodd Ji uwchben top Si.

'Jêl, Mam,' atebodd Llion cyn troi eto at Heulwen. ''Na beth ma hon wedi'i greu. Thỳg.'

'Mewn cariad ma'r crwt,' ceisiodd Glyn ddadlau heb wybod lle i ddechrau ymresymu â'r Difa.

'O't ti'n *gwbod*?' saethodd y Difa i'w gyfeiriad. 'Beth sy'n mynd mla'n? Beth 'nest ti?'

'Ym… hwyl i chi gyd 'te,' trodd Twm yn y drws, wedi llwyddo i hanner llusgo, hanner gwthio Nigel allan o'i flaen. Anwybyddwyd ef.

'Torri gên ryw fachan yn y dre. Ma dowt 'da fi wyt ti'n 'i nabod e. 'So fe'n tueddu i droi yn yr un cylcho'dd â ti. Er bod e 'ma heddi 'fyd. Welodd Dad e.'

'Ella 'sa well i mi fynd.' Hanner cododd Heulwen.

'Iste di fan 'na!' gorchmynnodd y Difa hi, ac aileisteddodd y Doctor.

'Chi'n gadel iddi siarad 'da chi fyl'na?' holodd Llion Heulwen.

'Stopwch hi!' gwaeddodd Glyn gan dynnu ei ddwylo dros ei wyneb.

'Pryd ma'r achos?' holodd y Difa.

'Mewn pythefnos,' meddai Llion heb arlliw o bryder. 'Ma 'da fi gyfreithwr a ma fe'n gobeitho dof i bant â *suspended* a ffein.'

'Dod bant â thorri gên rhywun?' meddai'r Difa rhwng ei dannedd heb ddim o'r pryder niwrotig, lond bwcedeidiau, roedd Glyn wedi ofni'i gael ganddi. 'Sai'n gweld pam ddylet ti ga'l dod bant 'da 'na.'

Fflachiai ei llygaid yng ngolau'r garafán a'r lantern wersylla ar y bwrdd. Estynnai'r cnawd o dan ei gên i gyffwrdd â'i brest bron iawn, a bwa ei cheg yn cyrraedd bron cyn belled.

Paid, Dilys, sgrechiai Glyn yn ei ben, paid â gneud hyn. Fe fyddi di'n difaru…

A *allai'r* Difa ddifaru a hithau bob amser yn gwbl argyhoeddedig mai hi oedd yn iawn?

'Mewn cariad ma'r…' ailadroddodd yn uwch.

'Ca' dy hen ben!' taranodd y Difa ar ei draws.

'Sai'n disgw'l i ti gadw 'mhart i, Mam. 'Nest ti rio'd neud 'ny. 'Na i gyd 'wy i ti yw gwarth. Cywilydd, i'w gwato mewn celwydde wrth y crach ti'n cymysgu 'da nhw. Pwy gelwydde wedi di amdana i tro 'ma 'te?'

'Stopwch hi,' plediodd Glyn heb godi ei ben.

'Na, 'wy moyn clywed. Shwt 'wedi di bo fi o fla'n 'y ngwell, bo fi'n mynd i'r jêl? Bant yn gweld y byd? Yn neud 'yn ffortiwn? Sorri, Mam, ond ti'n ffycd. Fydd e yn y papur, ti'n gweld.' Cerddai o gwmpas y Difa'n tasgu siarad reit wrth ei chlust.

'Stopwch hi. Plis, stopwch hi!' Teimlai Glyn fel pe

bai'n cael ei sugno i dwll du gan rym nad oedd gobaith ei wrthsefyll.

'Shwt alli di weud shwt bethe?' saethodd y Difa tuag ato. Gwelodd Glyn ddiferion o'i phoer yn taro'r llawr wrth ei thraed. 'Ti'n gwbod beth? Ma'r fenyw 'ma fan hyn wedi colli plentyn. Merch fach. Gwmws yr un o'd ag Awel. Ga'th hi'i bwrw lawr 'da car pan o'dd hi'n ddwy o'd! Ddalon nhw byth pwy nath. Ac wyt *ti*'n gallu sefyll o mla'n i'n siarad fel wyt ti'n siarad, bihafio fel wyt ti'n bihafio, a hithe â *neb* 'da hi…'

'Dilys…' ceisiodd Heulwen ei hatal, ond roedd y Difa wedi gwylltio gormod i'w chlywed, wedi'i thynnu i rywle uffernol ynddi hi ei hun na wyddai neb, gan ei chynnwys hithau o bosib, amdano o'r blaen. Crynai yn ei chynddaredd.

'Shwt gest ti *fyw* a'i merch fach hi'n farw, gwed? *Shwt?* A cha'l siarad 'da ni fel wyt ti'n neud a dyrnu pwy bynnag sy'n sefyll yn dy ffordd di? Shwt, gwed?'

'Dilys!' sgrechiodd Glyn. Gwelodd fod Heulwen yn wyn gan arswyd, wedi'i blocio rhag gadael gan y Difa'n chwythu tân, a gwaeth na thân, at Llion yng nghanol yr adlen. Anadlai Llion yn ddwfn wrth fethu tynnu ei lygaid oddi ar ei fam yn bwrw ei llid hyll tuag ato. Daliai Heulwen mor dynn yn ochrau ei chadair nes bod esgyrn ei bysedd i'w gweld yn wyn drwy'r golau anwastad.

'Dilys!' sgrechiodd Glyn eto, a hyrddiadau o grio'n dilyn. Methai feddwl am ddim arall, dim ond ailsgrechian ei henw drosodd a throsodd i wneud i'r hunllef ddod i ben. 'Dilys! Dilys! Dilys!' Sut roedd ei stopio hi?

'*Shwt* gwed?'

'Heulwen!' criodd Glyn i gyfeiriad honno. 'Stopa hi, plis 'na iddi stopo!'

Rhythodd Llion yn hir ar ei fam â golwg ffiaidd ar ei

wefusau. Edrychodd Heulwen arno'n llawn trueni ond heb allu dweud gair. Ymhen eiliadau, trodd Llion a hyrddio'r botel wisgi yn erbyn ochr y garafán nes bod darnau o wydr a dafnau o wisgi'n hedfan i bob cyfeiriad. Sychodd Heulwen wydr a wisgi oddi ar ei braich ac oddi ar ysgwydd y Difa.

Gadawodd Llion nhw.

Roedd Glyn yn beichio crio ac yn methu stopio. Trodd y Difa i rythu arno.

'Beth sy mater arnot ti'r babi?' poerodd ato'n gas.

'Glyn,' dechreuodd Heulwen, a chymryd cam tuag ato. Rhaid ei fod yn codi ofn arni gan na ddaeth yn agosach. Roedd y fflodiart wedi agor yn Glyn ac ni welai fod yna ffordd yn y byd o'i atal.

'Oes rwbath alla i neud?' meddai Heulwen wrth edrych arno.

'Rown i fe yn y gwely nawr,' meddai'r Difa'n ddiamynedd. 'Os gwelest ti rech o beth tebyg iddo fe yn dy ddydd erio'd.'

'Ella 'sa'n well ca'l doctor...?' awgrymodd Heulwen.

'Doctor!' wfftiodd y Difa. 'Wedi meddwi ma'r llo, dim mwy, dim llai. Gad iddo fe. Ddaw e ato'i hunan.'

Doedd e ddim yn ymwybodol fod Heulwen wedi mynd erbyn i'r tonnau o lefen sychu'n igian hercllyd yn ystod yr oriau mân. Doedd e ddim yn ymwybodol fod Dilys wedi bod yn ei wylio am oriau o'i chadair yng nghornel yr adlen ar ôl i Heulwen fynd, ac wedi gosod dwfe amdano wrth fethu ei gymell i mewn i'r garafán. Gorweddai ar lawr yr adlen wrth y stepen a dim byd ar ôl ohono ond dagrau sych fel masg dros ei wyneb.

Doedd e ddim chwaith yn ymwybodol fod y Difa wedi ystyried galw doctor am ei bod hi'n nabod brêcdown pan welodd beth oedd wedi digwydd i Glyn. Ond penderfynu peidio wnaeth hi, a gweld sut siâp fyddai arno yn y bore.

A rywbryd yn ystod yr oriau mân, roedd e wedi rhoi'r gore i lefen. Gormod i'w yfed, meddai'r Difa wrthi ei hun, wrth orwedd ar ei chefn yn gwrando arno'n dod 'nôl i anadlu'n normal, nid brêcdown wedi'r cyfan.

Wedi'r crio, nid oedd dim ar ôl yn Glyn i'w dorri rhagor.

DAU

17

Roedd 'y nhroed i reit yn y brêc, reit fewn, cyn belled ag y gallai fynd, a 'mhen i wrth y winsgrin, a'r gwregys yn 'y nhagu i. Ond roedd y bwrw'n digwydd yr un pryd, a'r un pryd hefyd, roedd ei llygaid hi'n fyw yn y golau, a'i chorff yn saethu o'r golwg, yr un pryd, a'r gnoc i'r car prin yn gnoc, fel bwrw ci bach, a'r car yn mynd, a stopio'r un pryd, yn groes i natur. Byw a marw'r un pryd heb sgrialu, hyrddiad o fynd a stopio'n un, fel bwrw ci, a ddim fel bwrw ci, a'i llygaid yno'n fyw a'i chorff yn saethu o'r golwg yr un pryd. Yr un pryd.

Fe 'nes i stopio. Aros. Nid bwrw a mynd. Aros. Troi'r allwedd i dewi'r injan. Agor y drws a mynd allan.

Na! Cyn hynny. Brecio. Bwrw. A bywyd ar ben. A throi'r allwedd.

Na! Cyn hynny hefyd. Bywyd ar ben. Stop. Brecio. Bwrw. Eiliad? Na! Byddai eiliad yn oes, yn haul, yn haf. Llai. Llai, erchyll o lai. Llai nag eiliad. Rhwng.

Yn yr amserau byr byr rhwng, mae uffern. Ei llygaid byw, a...

Brecio. Bwrw.

Bwrw. Brecio.

Byw. Marw.

Ac wedyn eto, eiliad. A gwbod. Yn y car. Gwbod. Troi'r allwedd. Gwbod. I stopio'r injan. Gwbod. Tynnu'r gwregys. Gwbod. Agor y drws. Gwbod. Symud 'y nghorff. Gwbod. Allan.

Eiliadau. Peneiliadau ei marw.

Es ati. Yn llefaru, llefaru, llefaru. Bydd yn iawn, bydd yn iawn, plis, plis bydd yn iawn, dduw, bydd yn iawn. Na na na na na na fel mamau dan eu cyflau a'u galar yn rhowlio oddi ar eu tafodau fel drymiau'n canu grwndi, fel glaw taranau. Es ati a… a… a…

A dim.

★

Roedd y tŷ'n dywyll a'r coed a'r cloddiau o'i amgylch rhyngof i ag e fel gwarchae bygythiol. Bron yn hollol dywyll. Un golau landin gwan rywle yn ei berfedd. Rhag ofn y byddai'n codi yn y nos. Rhag ofn ei bod hi'n galw amdanyn nhw, amdanoch chi, wedi'i deffro'n sydyn gan hunllef i'w byd bach. Golau i'w thywys atyn nhw, atoch chi, drwy dywyllwch y tŷ. Golau i oleuo'i llwybr ar y stâr.

Pe bai hi wedi gweld y teganau bach yn y lolfa wedi'u tacluso'n bentwr i gornel wrth y soffa, pe baen nhw heb gael eu tacluso, ac yn lle hynny, wedi'u gadael ar lawr y lolfa i ddenu ei bysedd bach… hel esgusodion yw hynny. Ond pe bai hi wedi chwarae â nhw yn lle mynd i agor y drws. Perthyn i ddaear arall, bywydau eraill, mae 'pe bai'.

A'r drws ar agor i'w weld yn glir o'r ffordd, yn cynnig golwg ar dywyllwch duach na du tu mewn, a'r dafn bach o olau landin yn ddyfnder o dywyllwch, yn treiddio allan, yn ei gwthio allan ar hyd llwybr yr ardd – lawnt, cennin Pedr, dant y llew, lili wen fach, tiwlips, i'w chwalu wedyn gan y perchennog nesa, ond doedd dim perchennog nesa yn yr ennyd honno rhwng ei chorff bach a breuddwydion y ddau yn y gwely'n ei chadw hi'n fyw am funud. Munud rhwng.

Gwelodd y dyn yn y car hyn oll – y clawdd, y tŷ, y llwybr, yr ardd, y drws, a'r diferyn o olau fel deigryn – cyn ei gweld hi. Yn sypyn o gnawd llonydd, marw ar amrantiad, heb y rhwng. A'i gwddw'n ei gwneud hi'n ddieithr, a'i llygaid yn dal ar agor. A'i dillad nos fel papur am bresant wedi torri'r tu mewn. Cip gafodd y dyn yn y car – gefais i, a gwbod. Cip a barodd oes.

Cip a'm cariodd i mewn i'r tŷ tywyll a gwneud i mi hofran dros wely'r ddau na wyddent eu bod yn hapus nawr, tan funud o nawr, pan fydd hapusrwydd wedi mynd a'u gadael. Dau'n ei breuddwydio hi'n fyw, a hithau bellach yn farw.

Edrychais o'r swp ar lawr, at y tŷ yn dal yn llonydd, llonydd, a meddwl am y ddau yn eu gwely'n cael eu munud (faint mwy?) ohoni'n fyw, a meddwl am eu deffro o'u breuddwydion amdani hi, hofran uwch eu gwlâu a'u gwylio'n gwenu yn eu cwsg a'u breichiau am ei gilydd fel pe bai hi yn y canol rhyngddynt.

Meddwl am eu deffro i'w huffern wnes i... cyn cerdded yn ôl i mewn i'r car, rhag mynd i mewn i'r tŷ a dwyn eu munud olaf.

Eisteddais yn sedd y gyrrwr, ailgychwyn yr injan a gyrru i ben draw fy nhaith. Gan adael y swp fel corff gwylan neu frân neu gwningen neu gath ar ochor y ffordd.

Roedd y dyn yn y car, roeddwn i, wedi dwyn gweddill eu bywydau oddi arnynt, eich bywydau chi oddi arnoch chi: a'r cyfan oedd ar ôl gen i i'w roi oedd y funud ychwanegol honno rhwng deffro, yn llawn o'ch breuddwyd, a chodi, a gweld. Munud yn hwy cyn gwybod, munud yn fwy ohoni'n bod. Munud yn rhodd, fel parsel o gnawd toredig ym mhapur pinc ei dillad nos.

Es adre i wynebu'r gnoc ar y drws i chwalu bywyd tri arall, ond ni ddaeth. Beth am ôl y teiar, ôl paent y car arni, siâp marciau olwyn y car drosti, ôl bwrw, siâp y car, olion,

olion, olion…? Ond ni ddaeth cnoc ar y drws gan gontiaid twp o heddlu.

★

Hon yw hi, Heulwen. Y gnoc ar y drws. Fy nghyffes hen i ti. Ond gwrando arni i'r pen. Ni weli esgusodion, dim ond dweud.

Ar ôl y practis côr, mynnodd sawl un ein bod yn mynd am beint. Es i gyda nhw, yn methu dweud 'na'. Roedd gen i reolaeth gymharol ar Dilys yn y dyddiau hynny, a'i breichiau'n llawn o fabi. Gallwn fentro yn y dyddiau hynny pan o'n i'n hapus heb wbod. Aeth peint yn dri, yn bedwar, ond doedd 'na ddim plismon yn aelod o'r côr. Ac es i adre at Dilys, yn hwyr, rhyw ochr i hanner nos, rhyw ben rhwng ddoe a'r heddiw y bûm yn bodoli ynddo ers chwarter canrif.

Cedwais at y ffyrdd cefn rhag cael stop. Ymestyn y daith rhwng tref a phentref dros y ffyrdd cefn lle nad oedd plismyn yn gwylio, lle nad oedd pentrefi, dim ond ambell dŷ, ambell gartref.

Welais i mo'r ferch fach yn deffro yn ei gwely, ymlwybro i lawr y stâr yn lled olau'r landin, yn pasio drws y lolfa lle roedd ei theganau'n cysgu a heb ei denu. At y drws, a'i agor – ar ba berwyl? – ac i lawr llwybr yr ardd at y bwlch rhwng y cloddiau, pen bach aur a llygaid byw, llygaid byw.

Sut mae sôn wrthot ti am y dyddiau wedyn? Alla i ddim credu fod arnat ti rithyn o eisiau gwbod sut oedd hi arna i. Fe gofi dy rai di – er, efallai, nad oes dim ond niwl. Doedd dim niwl dros fy rhai i, fy nyddiau wedyn i, fy wythnosau, fy misoedd wedyn i. Trywanai pob eiliad effro fi fel cyllell, fel pe bai amser wedi'i ymgorffori'n gigydd. Pob ennyd yn sgrech o drydan yn fy mhen. Pob eiliad yn ormod o oes, pob munud yn fy nghario i'n bellach o'r foment honno rhwng. Brêc, bwrw. Bwrw, brêc.

Ond wrth fynd ymhellach oddi wrtho, rhaid bod rhyw wella, achos tybiwn fod rhyw wella'n digwydd ynoch chi eich dau, ac amser yn fwy bendithiol i chi wrth eich cario'n bellach oddi wrth y swp ar y ffordd o flaen eich tŷ chi. 'Dwn i'm. Doedd dim meddwl.

Ac eto, rhaid bod. Achos fe guddies i tu ôl i fasg normalrwydd yn ddigon da i dwyllo Dilys. A phawb. Doedd neb yn yr ardal yn normal iawn ar ôl clywed, a gwnaeth hynny lawer o'r gwaith cuddio drosta i, ac erbyn i'r pentre, yr ardal, ddechrau dygymod â'r sioc, falle nad oedd Dilys yn cofio'n iawn sut un oeddwn i cynt. Gallwn dwyllo cymaint drwy weithredu fel peiriant. Codi, ysgol, darllen y nodiadau o 'mlaen i, adre, gweithio, gwely. Dyna siâp fy nghragen. 'Yn tyden ni'n wych am guddio yn ein cregyn?

Yn y nos, wrth ochor Dilys yn y gwely, daliwn i weld y tŷ tywyll, llonydd, y funud gawsoch chi cyn gwbod. Daliwn i chwysu fy hunllefau effro, a llithro weithiau i gwsg a oedd yn llawn o hunllefau melysach. Alli di ddim dychmygu cymaint o ryddhad oedd hunllefau fy nghwsg! Neu falle galli di.

Roedd yr heddlu'n chwilio, 'yn doedden nhw? Maen nhw'n dal i ryw lun o chwilio, yn swyddogol felly, heb chwilio chwaith bellach. Disgwyliwn y gnoc: roedd rhannau mawr ohona i'n deisyfu am glywed y gnoc ar y drws. Ond ddaeth hi ddim. Yn lle hynny, cefais flynyddoedd o 'ngharchar fy hun yn fy nghragen. Ac oriau effro'r nos yn diffrwytho'r dydd. Blynyddoedd. Pan oedd y plant yn fach, ac Awel yn dechrau yn yr ysgol, a Llion yn gwenu ei wên gynta, yn cerdded ei gam cynta, a'u buddugoliaethau bach dyddiol nhw, yn ystod holl blentyndod y ddau, roeddwn i yn fy ngharchar. Collais fy nau blentyn pan gollaist ti Megan. Gwenai'r gragen yn ôl fy ngorchymyn. Ddigon i blesio Dilys – gwenu, ufuddhau, ildio, symud un goes o flaen y llall mewn amser wrth anelu at ryw ben draw y gwyddwn i'n iawn nad oedd e'n bod.

Ac eto. Blynyddoedd. Y blynyddoedd effro. Fe gilion nhw'n raddol heb i fi sylwi. Yn ara ara deg, gallwn weld, wrth edrych 'nôl, fod nosweithiau cyfan o gwsg wedi treiddio i mewn trwy farrau fy ngharchar, fod y gragen wedi agor weithiau wrth i ryw fi arall geisio edrych allan ohoni. A'r un pryd, roedd fy ymennydd i'n dechrau dethol ei feddyliau, yn cau allan y lluniau yn 'y mhen i, yn dewis pa atgofion a gadwai gwmni i fi. Organ wych yw'r ymennydd. Fel yr iau, gall ail-greu ei hun, ailymffurfio'n wydn a chau'r drwg allan. Falle'ch bod chi'ch dau'n gyfarwydd iawn â hyn. Ffisig amser i organ sydd â'i bryd ar wella. Wiw i ni feddwl amdani'n gwella er hynny; wnâi hynny ddim ond ein tynnu'n ôl i feddwl am y peth roedd hi'n gwella ohono, a dyna ni 'nôl eto yn yr eiliad. Y peth pwysig yw peidio meddwl amdani'n gwella.

Ond rhith yw'r gwella, fe wela i hynny nawr. Cwsg heb wellhad. Un peth bach, gair o'th lais di ar y radio, eiliad o'th wyneb di ar y teledu, dy enw ar frig erthygl, mewn cylchgrawn, a dôi'r aflwydd yn ôl a'i holl ddrychiolaethau i'w ganlyn. Diffoddais y switsh arnat ti ddwsinau o weithiau, Heulwen, er mwyn ceisio dy ddadelfennu di, dy yrru di ar ffo fel chwythu cloc dant y llew, fel chwa o wynt drwy baill. Ond byddet ti'n ailffurfio wedyn, a'r paill wedi ffrwytho, yr hedyn wedi gwreiddio, a'r blodyn wedi tyfu, wedi ymddangos o 'mlaen i unwaith eto ar ffurf dy lais ar y radio, dy wyneb ar y sgrin. A dôi'r tŷ tywyll a chi'ch dau gyda'ch breuddwydion tu mewn i lifo'n ôl eto drwy fy nosweithiau effro gan chwyddo drwy unrhyw wellhad yn fy mhen, a gwenwyno eilwaith fy meddyliau.

A rhywle rhwng dalennau'r blynyddoedd, fe wawriodd hi arna i fod 'na ben draw i ti wedi'r cyfan. Cest dy aileni o'r tŷ tywyll yn rhywun arall. Blodeuodd y ferch ddi-ffurf yn ei ffedog – dy wallt di-lun yn hongian yn seimllyd llipa dros dy wyneb di-golur, di-fflach, a'th fol mam, a'th ddwylo golchi llestri – yn rhosyn hardd ar lwyfannau, mewn darlithfeydd, ar dudalennau, ar sgrin. Doist yn rhywun newydd, gwell. Rhoist heibio'r clytiau, a daliaist rhwng dy ddwylo gyfrolau dy uchelgais, cynnyrch ymestyniad dy feddwl, a lliw dy fywyd newydd. Blodeuaist o ddrain dy adfyd a swyno dy genedl o gynulleidfa â'th ddoniau, fel geni plentyn eilwaith, yn wychach y tro hwn, yn berffeithiach ei lewyrch, yn sicrach ei sail. A mentraf awgrymu, Heulwen, mai fi roddodd fod i'th hunan newydd di. Wrth basio pen draw dy alar di, ces innau ben draw, ces fodlonrwydd Gwydion wrth weld ei ferch o flodau'n ymrithio ger ei fron a gwybod mai ef a'i creodd hi.

Efallai mod i'n baglu'n rhy sydyn drwy'r drain at y blodau. Does arna i ddim awydd bychanu rhwygiadau'r drain. Ond pan ymddangosaist ti a Dan ar ymyl y ffordd i'r Bala, llifodd y drychiolaethau'n ôl i mewn i mi, fel pe bai blynyddoedd o iachâd heb ddigwydd. Ailymffurfiodd y gragen a'm cadwai y tu mewn i fi fy hunan a diflannodd chwarter canrif cyfan o ffisig amser ynof i. Ces fy llusgo'n ôl at y tŷ tywyll a'r sypyn marw ar y ffordd. A'th weld di eto ac eto yn agor y creithiau mewn llafn o amser, fel suddo cyllell drwy gnawd newydd fy meddyliau.

Dim ond bodoli 'wy ers cyhyd. Methu bod yn ddim ond cragen. Dysgu plant, heb deimlo mod i'n dysgu diawl o ddim i neb. Cicio 'nghoesau i gadw 'mhen uwchben y dŵr yn yr ysgol, bodoli dideimlad; anelu at ymddeoliad mewn rhyw obaith ffôl – do, fe ddaeth y reddf ddynol o allu gobeithio yn ôl i mi dros amser – y dôi byd gwell bryd hynny; canfod uchelgais (ha! Fe ddaeth tameidiau pytiog o hwnnw 'nôl) drwy gyfrwng nofelau na haeddant sylw neb. Cicio'r dŵr yn fy unfan gan edrych am y pen draw a fyddai'n rhoi diwedd ar y drychiolaethau. Ond gwelwn drwy'r cyfan mai'r oll a wnawn mewn gwirionedd oedd dal i fyw yn fy nghragen a chyflawni dim.

Ond mae'n wir, on'd yw hi, Heulwen? Fi greodd y wên barhaol ar dy wefusau di, fi oedd awdur dy lwyddiannau di, achubwr dy flodau di a'r arlunydd a roddodd liw i ti. Weli di ddim o hynny'n glir eto falle, ond fe ddaw i ti'n raddol, fel y gwawria blynyddoedd newydd i'th gario di'n bellach eto o'r tŷ tywyll, llonydd. Fi yw dy Wydion di.

Nid cyfiawnhau ydw i, na chreu esgusodion, na siarad am dynged a ffawd a ffwlbri felly. Damwain oedd hi, a phethau na ddylent ddigwydd yw damweiniau. Pe gallwn fynd yn ôl, fe wnawn i hynny heb oedi eiliad, a dad-wneud y cyfan. Ond alla i ddim. All neb.

Mae lladd rhywun yn gyflawniad o fath. Mae'n newid stad yr atomau yn y gwydr dŵr, yn cynhyrfu'r twmpath morgrug am eiliad fer, sy'n fwy na dim byd o gwbwl, wedi'r cyfan. Mae'n rhan mor fach o'r Cynllun Mawr, tu hwnt i amgyffred o fach, ond yn rhywbeth er hynny, ac mae rhywbeth yn well na dim, mae'n siŵr. Gallaf ddweud wrthaf i fy hun, ac wrthat ti nawr, os nad wrth neb arall, i fi wneud *rhywbeth*.

Ac wrth edrych arnat ti'n traddodi beirniadaeth y Goron gwta ddeg diwrnod yn ôl, gwelais fod y rhywbeth a greais yn llawer iawn mwy nag a ddychmygais erioed.

*

Dyma a ysgrifennais i ar ôl dod adre o'r Steddfod, Heulwen.

Rhaid i mi ei anfon atat ti yn ddiymdroi. Mae'r Difa, Dilys,

yn bygwth galw doctor i ddod i 'ngweld i, gan na wnes i fawr
o ddim ers cyrraedd adre o'r Bala ond cloi fy hun yn fy stydi
gyda'r geiriau hyn, gyda thi.

Rho ystyriaeth i 'ngeiriau i. Paid â rhuthro'n rhy sydyn i
felltithio dy Wydion. Rwyt ti'n Flodeuwedd na all gwywo
berthyn i ti. Rhyw ddydd, a hynny heb fod ymhell gobeithio,
fe ddoi di i'w dderbyn. A rhyw ddydd, heb fod ymhell wedyn,
fe roi di gyfle iddo ddangos i ti cymaint mae'n dy garu di.

Glyn.

18

'Wythnos i heddiw y cyrhaeddodd dy lythyr di, dy gyffes
di, beth bynnag alwi di fo. Pan welais y parsel, mi dybiais
mai gwaith myfyriwr ydoedd, cyw lenor yn dyheu am farn a
chyngor. Yn sgil ei ddarllen wedyn — y fath ddarllen — mae
rhan ohonof yn dal i feddwl mai dyna ydyw, wrth gwrs.
Cyw lenor wyt ti, Glyn, a chwilio am fy nghefnogaeth i, fy
nghytundeb i oeddet ti wrth anfon y llythyr ataf. Chwilio
— ond heb chwilio hefyd. Ni chredaf dy fod yn ddigon o
gwmpas dy bethau i allu derbyn beirniadaeth go iawn: mi
weli lygedyn o obaith yng nghanol y twnnel tywyllaf oll,
beth bynnag ddyweda i wrthat ti — troi'r tail yn fêl, yn ôl dy
fympwy gwyrdroëdig dy hun wnei di.

Mi geisiaf gadw rhag dy ddarnio. Nid dy fai di ydi o dy
fod ti'n sâl. Mi geisiaf fod yn gall, yn sobr. Yn deg, Glyn. Mi
geisia i fod yn deg!

Wrth ei ddarllen, mi gredais gyntaf oll mai jôc oedd y

cyfan, rhyw dynnu coes diniwed ar dy ran di – neu rywun yn gwisgo dy gnawd di, ymgais i osod dy bersbectif di. Yna gwawriodd y gwybod graddol – erchyll sylweddoliad – mai cyffes oedd hi.

Mae'n anodd disgrifio'r boen. Yr ing corfforol wrth lusgo fy llygaid dros bob gair, a thrwyddo, y gwayw'n rhwygo drwof wrth gael fy ngorfodi i ail-fyw'r noson honno drwy dy lygaid di, a minnau wedi gwneud cymaint o'i hail-fyw fy hun. Ers wythnos, cedwais gwmni i'r pentwr papurau o'th law. Fedrwn i ddim gadael y deipysgrif o'm golwg. Treulient bob nos ar y bwrdd wrth fy ngwely, ochr yn ochr â mi drwy'r oriau effro, ac yn y dydd, cariwn hwy gyda mi drwy'r tŷ o ystafell i ystafell fel pe byddai eu gollwng yn gyfystyr â cholli braich neu goes. Darllenais hwy eilwaith ac wedyn ac wedyn. Pan ddôi Dan i mewn o'r stiwdio sy'n ail gartref iddo ers blynyddoedd, llwyddais i'w ddarbwyllo mai gwaith myfyriwr ydoedd, nid fod ganddo lawer o ddiddordeb. Ond do, gallaf dy glywed yn holi'r cwestiwn: do, mi gedwais y gyfrinach ers wythnos.

Dwn i ddim lle i ddechrau, Glyn. Bûm fel dynes hanner call ers i'r peth lanio a mynnu fy sylw, prin y llwyddwn i newid o'm coban yn y bore, a phob ymdrech i wneud unrhyw beth heblaw darllen yn fy llethu. Gwnes esgus cyfleus i Dan mod i wedi cael dos o ffliw. A bod yn hollol onest, rhoddodd hynny daw ar unrhyw drafodaethau a fyddai wedi digwydd fel arall ynghylch ein gwahanu. Ces wythnos heb fawr o siarad o gwbl. Dim ond darllen. Yr un peth drosodd a throsodd. Go brin y bydd yn atal llif ysgariad. Toriad byr yn unig ydyw yn naratif ein gwahanu, er bod yna bethau yn y saib a fydd yn dylanwadu ar brif lif ein trafferthion, wrth gwrs. Nid wyf wedi gallu meddwl am hynny eto.

Yn y cyfamser, ni allaf weld y ffordd ymlaen – i Dan a

minnau, ia, ond yn bennaf i mi fy hun – heb ysgrifennu atat. Nid oes gennyf syniad a wêl y llythyr hwn di ai peidio. Ond mae'n ymgais i reoli'r cythrwfl yn fy mhen, ac i'r perwyl hwnnw, rhaid i mi ei ysgrifennu gan feddwl dy fod yn ei ddarllen.

Ceisiaf roi trefn ar holl ddryswch fy meddwl.

Ble dyliwn i ddechrau?

★

Pa le gwell na'r dechrau? Yn ein gwely, Dan a minnau, yn breuddwydio amdani hi – fel y dychmygaist – yn fyw, awr wedi iddi farw. Do, mi roddaist fwy na munud ychwanegol o'i chwmni i ni. Yn ôl yr arbenigwyr, rhoddaist rywbeth tebycach i awr.

Mae'n debyg mai oerfel y gwynt drwy'r tŷ am fod y drws ffrynt ar agor ddaeth i'm hysgwyd o'm cwsg yn y diwedd. Yn sicr, ni wnaeth sŵn car yn gyrru, yn stopio, ac yn gyrru eilwaith dreiddio drwy freuddwydion Dan na minnau. Ers pum mlynedd ar hugain, bûm yn dyheu am fod wedi clywed sŵn car yn nesáu, yn deisyfu cof rhwng dalennau cwsg am sŵn o'r fath, yn dychmygu car o'm hisymwybod, a gwybod hefyd na chlywais sŵn y car. Mewn munudau gorffwyll rif y gwlith, medrwn ei weld a'i ddisgrifio, a challineb eilwaith wedyn yn ei rwbio oddi ar lechen fy nghof fel rhwbio darlun pensel plentyn, fel rhwbio plentyn oddi ar ddalen wen ein bywydau. Holodd yr heddlu, gan wisgo'r un cwestiwn mewn dillad gwahanol rhag ymddangos fel pe baen nhw'n gwasgu'n rhy drwm ar ddau na wnâi unrhyw bwysau bydol arall eu gwasgu'n ddim, fel roeddynt eisoes wedi'u gwasgu'n ddim nes bod ein hochrau'n cyffwrdd â'i gilydd, ein cefnau'n un â waliau ein stumogau. Wir i ti, aeth y ddau ohonon ni i edrych fel dau liain bwrdd yn ceisio diflannu yn un dimensiwn am amser maith wedyn, heb awydd at fwyd na dim ond peidio â bod.

Ond yn ôl at y gwely, ac oerfel gwynt yn fy neffro. Ysgwydais Dan wrth fy ochr pan godais yn sydyn ar fy eistedd. Cafodd eiliadau'n fwy o gwsg ei fywyd arall na mi, a phe bawn i wedi gallu rhoi rhagor o eiliadau ohono iddo, byddwn wedi gwneud hynny (efallai fod tebygrwydd rhyngot ti a mi yn hynny o beth, o ran dyhead o leiaf, os nad o ran gweithred). Ond, ar y pryd, rhyw led ofn oedd ynof, dyna i gyd, drws wedi'i chwythu ar agor am na chofiodd yr un o'r ddau ohonon ni ei gloi cyn mynd i'r gwely – o'r fath anghofio, a arweiniodd at oes o feio ein hunain.

Faint gymerodd hi i mi lamu o'r gwely tuag at y grisiau a phenderfynu rhoi fy mhen i mewn i'w hystafell wrth basio, ac i'r ofn ffrwydro drwy fy nghorff wrth weld ei gwely bach yn wag? Eiliadau. Tair? Pedair?

Dim ond mis ynghynt roedden ni wedi ei symud hi i'r gwely bach, gyda'r bwriad o'i gwneud hi'n 'ferch fawr' yn ei hystafell ei hun yn hytrach nag yn y cot yn ein hystafell ni cyn iddi ddechrau yn yr ysgol feithrin ymhen mis arall wedyn. Y fath ysfa wirion i'w gwneud hi'n 'ferch fawr'! A beio'n hunain wedyn am beidio ag oedi, a'i chadw hi'n ferch fach am fisoedd gwerthfawr, y fath feio, a gwybod mai cael rhyddid i garu yn ein gwely mawr heb lygaid bach yn deffro yn ei chot i'n gwylio ni'n caru, i darfu ar ein caru, a ysgogodd y brys. Rhown bob eiliad o gyfathrach rywiol a fu ac a allai fod yn fy mywyd am ei chael hi'n ôl yn ddiogel o fewn barrau'r cot, yn ein gwylio, yn tarfu ar ein caru.

Ond roedd hithau'n awyddus i fod yn 'ferch fawr' hefyd, i ddangos i ni – cylch ei byd – ei bod hi'n ddigon aeddfed yn ddwy a hanner i gysgu yn ei gwely ei hun yn ei hystafell ei hun. Does dim posib cadw plentyn yn fach am byth.

Ond bach fu Megan wedyn, a bach fydd hi. *Mae'n* bosib eu cadw'n fach.

Chofia i ddim amdanaf yn hedfan i lawr y grisiau ac allan drwy'r drws, ond rwy'n cofio'r ysfa'n chwysu drwof yn ystod eiliad fy llamu ar hyd y llwybr o'r drws ffrynt at y ffordd. Eiliad olaf fy hen fywyd, yr hen Heulwen, fel y gelwaist hi. Dyheuwn â'm holl enaid mai ffordd wag a gawn, gardd wag, a hithau yn y tŷ, ond roedd yn rhaid i mi redeg i'r lle peryclaf, y lle gwaethaf oll, yn gyntaf, er mwyn anadlu'n rhydd, cyn dychwelyd i chwilio amdani rhwng pedair wal y tŷ, a gostegu'r ofn a oedd yn bwyta fy nhu mewn. Eiliad rhwng y tŷ a'r ffordd, a gobaith ac ofn yn un drybolfa o symud trwof. Eiliad, fel oes, a minnau'n hyrddio mynd tuag at yr hyn a oedd yn mynd i 'nifa i; hedfan â breichiau agored at gael torri fy nghalon, at farwolaeth yr hen fi – i'r lle gwaethaf un at y peth gwaethaf un, ehedais i gofleidio 'nhrallod. Ac yng nghanol yr eiliad honno, cyn gweld, a gwybod hefyd, mai ein bai ni am anghofio cloi'r drws oedd carreg sylfaen y cyfan, beth bynnag a'm croesawai yr ochr arall i'r bwlch rhwng y ddau glawdd.

Nid oedd arnon ni ofn lladron yn y dyddiau hynny, Dan a minnau. Gadewn y drws heb ei gloi yn aml wrth adael y tŷ. Cartref bach digon disylw oedd Ty'n yr Ardd, allan yng nghanol nunlle, a dim ond ynfytyn o leidr a welai ddigon o addewid yn y tŷ carreg dwy lofft i ffwdanu torri i mewn iddo. Gwnawn yn siŵr fod clo ar y drws yn y dydd gan ei bod hi eisoes wedi dangos ei bod hi'n gallu ei agor. Ond, yn ystod y nos, a hithau'n cysgu, a'n blinder ein dau wedi diwrnod o waith, neu ddiwrnod yn diddanu plentyn dwyflwydd a hanner, ni fyddem mor wyliadwrus. A glaniodd y lleidr creulonaf un ar y ffordd wrth ein tŷ ni.

Cofiaf Dan yn dweud wrth yr heddlu fy mod i wedi sgrechian, sgrechian heb ddiwedd arno, am amser hir. Cofiaf edrych yn ôl at y tŷ, a Dan yn sefyll fel delw ar garreg y drws yn fy ngwylio'n sgrechian, a gwybod ei fod yn ceisio'i orau glas â phob atom o'i fod i aros ar yr ochor arall i'w ddeufyd, i beidio â chamu o'r naill i'r llall, peidio gorfod gwybod iddo golli'r bywyd arall.

Cofiaf ystum ei chorff – chaf i byth wared o'r llun hwnnw, bydd yn gwmni i mi hyd nes y byddaf yn rhoi fy anadl olaf – a gwybod yn syth, fel na allwn ond sgrechian fel pe bawn i'n ceisio sgrechian fy nhu mewn allan, ysgarthu holl gynnwys fy nghorff, er mwyn cael bod gyda hi, ble bynnag oedd hi. Cofiaf ddisgyn ar fy ngliniau yn dyheu am guriad yn ei brest, anadl o'i cheg, a gwybod. Roedd ystum ei chorff wedi rhoi gwybod i mi eisoes.

Doedd yna fawr o waed. Ac roedd angen newid ei chlwt.

★

Un gybolfa o sŵn a symud fu'r dyddiau – wythnosau – wedyn, a phrin bod un atgof ohonynt yn parhau'n ddarlun clir yn fy meddwl. Un llanast dryslyd o seirenau a phobl yn mynd a dod, mynd a dod, wynebau heb enwau, a dillad yr heddlu, a heddlu heb fod mewn gwisg heddlu, a ffrindiau a theulu'n symud o 'nghwmpas i, yn gwneud pethau na fedrwn eu dirnad, a chydnabod yn galw i gydymdeimlo a finnau prin yn eu hadnabod. A rhyw islais o grefydd drwy'r cyfan, mor ddiwerth â dymi i fabi mewn arch, ac a deimlai'n bell, bell fel golau seren o berfeddion y gofod, yn addo cynhesrwydd, ond pa gynhesrwydd sydd gan seren i'w gynnig?

Wedyn, fisoedd wedyn, ac am flynyddoedd wedyn,

a minnau wedi rhoi heibio'r cyffuriau a'r cynghorwyr ar brofedigaeth nad oedden nhw erioed wedi nabod Megan, daeth hi'n bwysig i mi geisio adfer y dyddiau coll hyn yn ôl i'm meddwl, a holwn berfedd Dan, oriau bwy'i gilydd o holi, am bob manylyn, pob enw, pob digwyddiad. Er nad oedd e fymryn yn fwy 'presennol' na minnau drwy lawer o'r dyddiau cynnar, ymdrechodd yn galed i roi darlun i mi o'i hangladd, ohonof fi fy hun yn ei hangladd. Crefwn arno i roi pob gwybodaeth i mi, pob ffaith oedd wedi llithro heibio i'm synhwyrau diffrwyth. Geiriau pob ymwelydd a alwodd yn y tŷ; pa fath o flodau oedd ar ei bedd; geiriau'r gweinidog cyn ac yn ystod yr angladd; lliw'r wisg oedd amdani yn ei harch; sut oedd y tywydd pan safem yn y fynwent; enwau'r tonau; geiriau'r emynau; y te wedyn; pwy alwodd wedyn, wedi'r angladd; y dyddiau wedyn, ac wedyn. A cheisiai yntau ehangu fy ngwybodaeth, rhoi llun o'r cyfan i mi, er bod lliwiau'r llun yn un cyboitsh brown iddo yntau fel i minnau i raddau helaeth. Gwyddwn, hyd yn oed yn y dyddiau cynnar hynny, fy mod i'n plannu'r gyllell ynddo â phob cwestiwn a holwn, yn ei ddiberfeddu wrth wneud iddo ail-fyw'r hyn na allai oddef byw drwyddo unwaith, heb sôn am orfod ei godi dro ar ôl tro. Yr un ffeithiau a fynnwn ganddo a 'nghwestiynau fel llif diatal.

A'r un cwestiwn, y cwestiwn a lefarais ganwaith, filgwaith, na fedrai roi ateb iddo – fo na neb arall. Yswn am yr ateb ganddo gan wybod na fedrai ei roi, ond fedrwn innau ddim peidio â'i ofyn chwaith, fel pe bai'r gofyn yn weithred gorfforol na fedrwn ei rheoli, fel chwysu, neu ysgarthu, fel fy ngwallt yn tyfu, fel cryndod, fel tisian, fel dagrau.

Pwy nath?

★

Fedri di ddim dirnad peidio â gwybod pwy nath oni bai dy fod di wedi gwisgo fy esgidiau i, fy nghroen i, Glyn. Gad i mi geisio egluro i ti.

I mi, yr adeg honno, a thros y blynyddoedd wedyn a ninnau wedi hen symud i Gaerdydd, roedd pob manylyn yn bwysicach i mi na'r aer a anadlwn. Manylion y noson, y dyddiau a'r wythnosau wedyn, fel a ddisgrifiais. Popeth. Gwallgofrwydd o bopeth. Ond uwchben pob manylyn arall, y prif beth, y wybodaeth nad oedd ar gael i ni – beth ddigwyddodd, pwy oedd yn gyrru'r car, a phopeth amdano ef neu hi. *Minutiae* y cyfan oll i gyd. Fedrwn i ddim byw heb lenwi 'mhen â manylion, ac roedd dogn anferth ohonynt wedi'u cau rhagof, wedi'u cuddio gan na wyddwn pwy nath.

Dyhead pawb normal ydi *peidio* â gwybod popeth, ein cyflwr cyffredin yw celu rhag y popeth. Oherwydd, yng nghanol y popeth hwnnw, mae'r pethau gwaethaf oll i gyd yn llechu, na all bodau cyffredin wynebu eu gwybod.

Ond pan fo'r peth gwaethaf oll i gyd *yn* digwydd, mae gwybod popeth, pob manylyn, yn gysur, yn gyffur, a'r ysfa i wybod popeth yn dy feddiannu di fel haint gwallgof, yn mynd yn ystyr bywyd.

Doedd Dan ddim yn unfarn â mi yn hyn o beth. Roedd rhan fawr ohono ef yn dyheu am droi ei gefn ar y manylion, ar y wybodaeth, ar yr atgof o'r cyfnod tywyll hwnnw. Wrth i'r blynyddoedd lithro heibio o un i un, ac wrth i amser fethu lliniaru fy nyhead am wybod y ffaith oedd yn aros heb ei datgan, yr un cwestiwn uwchben pob cwestiwn na allai ef mo'i ateb, cynyddodd ei syrffed yn wyneb fy nghwestiynau.

Gwnaeth yr heddlu eu gorau, mae'n siŵr. Mesur ôl teiar, canfod pa fath o deiars adawodd eu hôl ar y lôn, chwilio am ddafn meicrosgopig o baent oddi ar ei choban fach binc (ni chafwyd yr un), olion ar ei chnawd, holi o ddrws i ddrws am lygad-dystion (ni chafwyd yr un o'r rheiny chwaith, a phrin oedd nifer y drysau ar hyd ein lôn fach ni). Doedd eu gwaith ddim yn hawdd, er gwaethaf eu gobaith yn y dyddiau cynnar y gallent roi i mi'r wybodaeth yr yswn amdani (mae'r heddlu'n gwybod beth ydi dyhead rhieni fel ni am wybodaeth). Ac mi wadwyd y wybodaeth honno i mi.

Tan rŵan.

Paid â meddwl i mi ddiosg yr ysfa i wybod dros y chwarter canrif diwethaf. Ni leihaodd 'run gronyn. Ni ostegodd fy awydd am y cyffur a chwenychwn. Gŵyr Dan hynny. Flynyddoedd mawr wedyn, cawn fy hun am oriau hir y nos a'r cnoi yn fy nhu mewn yn fy nghadw'n effro, a'r methu cael gwybod, yn chwysu drosof a thrwof, a Dan wrth fy ochr wedi 'laru ar yr un cwestiwn hwnnw, pwy nath, yn dyrnu drwy ei ben fel hunllef na fedrai ddeffro ohoni, hunllef ei oriau effro. Roedd pob hunllef arall yn haws ei goddef na hunllef effro fy un cwestiwn parhaus i.

Chwarter canrif. A dyma ti'n ateb.

★

Dwn i ddim beth i'w wneud. Mae'n wythnos bellach, wythnos ers i mi ddarllen yr ateb i'r cwestiwn sydd bellach wedi mynd yn rhan o bwy ydw i. Rwy'n ceisio gweld fy ffordd i droedio'r ochr draw i wybod, ond mae'r drain yn rhy drwchus ar hyn o bryd. Dwn i ddim beth ddaw o wybod yr ateb. Mae'n newid popeth i mi, ydi, wrth gwrs ei fod o. Ond dwn i ddim eto sut. Fedra i ddim meddwl. Mae cymaint o ddryswch a phethau eraill wedi symud yn eu blaenau cymaint tra oeddwn i'n sownd yn y noson honno efo fy nghwestiwn. Dwn i ddim sut i deimlo. Ddim eto.

Sut mae dweud wrth Dan i mi gael yr ateb, a minnau wedi treulio pum mlynedd ar hugain yn holi'r cwestiwn iddo fo? Ydw i'n *mynd* i ddweud wrth Dan?

Ydw i'n anfon hyn o ymateb atat ti, Glyn? Ydw i'n rhoi dy gyffes yn nwylo'r heddlu, yn y gobaith o greu diwedd taclusach?

Ni allaf feddwl.

★

Mae'n wythnos arall, a darllenais a darllenais yr un geiriau dro ar ôl tro. Teimlaf mai dyma fydd gweddill fy oes, ailddarllen dy eiriau, drosodd a throsodd nes eu bod ar fy nghof, a finnau wedyn yn cael taflu'r dalennau, a pharhau am weddill fy oes i droedio dŵr yn fy unfan wrth eu galw i gof.

Ond mae'n rhaid i ti ddeall ambell beth.

Megan oedd fy myd, fy mywyd. Hi oedd y clymau yn fy ngwallt a'r bloneg am fy nghanol; hi oedd yn fy rhoi mewn legins a chrys-T pyg yn y boreau, ac yn cadw fy wyneb yn dew a digolur. Hi oedd yn annibendod yn fy lolfa a'i theganau dros fy llawr; hi oedd y cyhyrau yn fy mreichiau a'm coesau; hi oedd y gwrid a rôi batshys coch ar fy mochau; hi oedd y sanau tyllog am fy nhraed, a'r baw o dan fy ewinedd; hi oedd yn rhoi bysedd-golchi-llestri i mi, a blisters, a chleisiau chwarae yn yr ardd; hi oedd yn rhoi tyfiant i'r blodau o flaen y tŷ, ac iddynt eu harddwch bob gwanwyn; hi oedd yn codi'r haul yn y bore â'i 'Mam' bach o'i chot, a'i gwên wedyn o'i gwely, fel anadliad bywyd ar fy amrannau amser deffro; hi oedd yn peintio'r machlud i mi, yn canu fy moreau, yn dawnsio fy mhrynhawniau, a chofleidio fy nosweithiau. Hi oedd y cwrlid ar fy ngwely, y tân yn y grât, y bwyd yn fy mol, y ddiod yn fy ngwddw, y breichiau am fy ngwar. Hyn oll a mwy.

Roedd hi'n hyn oll i Dan hefyd. A mwy. A ninnau'n drindod fwy na'n rhannau efo hi.

Hon oedd Heulwen. Hon, y fam. Hon oedd Heulwen a Dan, a cholli Megan yn ei gwneud hi'n gysgod.

Cysgod ydi dy bili-pala di, Glyn, cysgod celwyddog dros yr hen Heulwen hon a gollwyd pan gollwyd Megan. Fflitian fel pili-pala a wneuthum ers iddi fynd, pili-pala sy'n dilyn greddfau natur, heb feddwl y tu hwnt i'r blodyn nesa, heb allu aros yn llonydd am fod injan ei bod difeddwl yn gwarafun hynny iddi. Pili-pala a all ddeifio'n ddim, ond i rywun osod ei fys drosti, a all ddiflannu'n lwmp o slwtj, ond i rywun osod ei droed arni. Mae angen calon i weld harddwch mewn blodyn, prydferthwch lliw a siâp: tyn di'r galon, ac nid yw'n ddim sy'n rhoi ystyr, dim ond bodoli y mae. Blodau. Pili-palod. Gwywant bron cyn gynted ag y dônt.

Fflitian wnes i. Llenwi'r gwacter â phethau. Welwn i ddim o'u lliw. Fflitian o lwyd i lwyd fel y llwyd rwyf i, y llwyd nad wyt ti a'th sbectol ffug yn medru ei weld. Rwy'n llwydach na Dan, wedi hen bydru'n slwtj madreddog dan droed, yn un poitsh o gwestiynau ers degawdau, yn un gwallgofrwydd o chwilio a siarad a throi a throi yn yr unfan, yn methu rhoi troed allan o gylch yr eiliad honno uwchben ei chorff bach ar y lôn. Cysgod wyf i o'r Heulwen honno a'i byd i gyd yn Nhy'n yr Ardd, yn chwilio chwilio fel fflitian o flodyn i flodyn a dim i'w gael i'w roi yn y gwacter. Fflitian o radd i swydd, o glod i edmygedd, o radio i deledu, o ddarlith i anerchiad, gan chwilio a chwilio heb ddod o hyd i ddim i lenwi'r gwacter. Cysgod ydi'r lliw, pe bait ti ond yn gweld, paent ydi'r dillad, a'r colur, a'r corff siapus, a'r geiriau doeth, paent ar fasg fy mod. Paent dros y gwacter sy'n llenwi 'nhu mewn i, llyfiad heb iddo ddyfnder a dyna'r oll. *Dyma* dy greadigaeth di, Gwydion!

★

Syniad Dan oedd mynd i Ddulyn am rai dyddiau. Chwe mlynedd wedi'r ddamwain, a minnau wedi dechrau ar fy noethuriaeth, wedi addo gwneud ymdrech i ailddechrau byw rhyw fath o fywyd. Wrth i mi daflu fy hun i mewn i ryw waith go iawn credai Dan yr âi â'm bryd gam o leiaf i'r cyfeiriad cywir, yn anel oddi wrth y cwestiynau a'm llethai, ac a'i llethai yntau wrth i mi eu lleisio. Rhyw lun o ddathlu hynny oedd y gwyliau bach yn Nulyn. Y tro cyntaf i ni godi pac ers gadael Ty'n yr Ardd ddeufis wedi'r ddamwain, a mudo – hedfan, ie hedfan – i Gaerdydd rhag i'r olygfa o'n drws ffrynt i lawr y llwybr at y lôn ein llethu'n llwyr.

Hedfan wnaethon ni i Ddulyn o Gaerdydd hefyd a mwynhau tair noson yn un o'i gwestai moethusaf, amsugno awyrgylch y ddinas, torri'n rhydd oddi wrthym ein hunain am rai dyddiau.

Ac mae'n rhaid dweud i mi lwyddo i fwynhau yn yr ystyr newydd a oedd, neu sydd, i fwynhau i'r Heulwen newydd, fel y byddi yn fy ystyried. Law yn llaw, safasom gerbron Llyfr Kells ac edmygu ei geinder hynafol; â braich Dan dros fy ysgwydd, cerddasom drwy St Stephen's Green ac ar hyd Grafton Street, ac ymuno â chriw'r daith lenyddol gan ddilyn ôl troed Joyce drwy'r strydoedd; a'i ben-glin wrth fy mhen-glin innau, gwyliasom berfformiad o ddrama gan O'Casey, a phlethu ein bysedd yn ei gilydd wrth aros am bryd gogoneddus o fwyd yn y gwesty. A'r noson olaf ond un, cerddasom ar hyd Stryd O'Connell, gan oedi fraich ym mraich i chwilio am olion bwledi rhyddid ar wal Swyddfa'r Post. Yna, gwylio'r haul yn machlud yn yr ardd goffa ar ben draw Stryd O'Connell, a cherflun syfrdanol Oisín Kelly o blant Llŷr a drowyd, yn ôl y chwedl, yn elyrch am naw can mlynedd, yn symbol o daith naw canrif Iwerddon tuag at ei hannibyniaeth. Eistedd ar fainc yn syllu'n hir ar ffurfiau cyrff yr hanner plant, hanner elyrch, yr eneidiau daearol yn gwisgo'u hadenydd a'u gyddfau elyrch ar anel fry. Ac ni ddywedodd Dan na minnau air wrth ein gilydd er ein bod yn teimlo gwres ein cyrff yn croesi o'r naill i'r llall, ysgwydd wrth ysgwydd. 'Nôl wedyn i gyfeiriad y gwesty a chroesi at gerflun Anna Livia ar ganol Stryd O'Connell, ac oedi yno i wylio'r dŵr yn llifo.

Roedd Dan wedi cerdded rai camau o'm blaen i, ac wedi troi yn ôl i'm hwynebu. Dychrynais wrth weld ei lygaid tywyll yn syllu arnaf, fel dau bydew diwaelod, a'r annealltwriaeth arswydus ar ei wyneb yn peri cryndod drwof.

Ond fi holodd y cwestiwn. 'Be ydan ni'n neud 'ma?'

Syllais arno'n hir, yn adlewyrchiad o'r dychryn gwag ar ei wyneb.

Ond bob blwyddyn wedi hynny, parhaodd ymdrechion Dan i drefnu gwyliau i ni'n dau er mwyn ein cael ni allan o'r tŷ – seibiant gyda'n gilydd, a seibiant oddi wrthym ni ein hunain arferol hefyd. Ac, i raddau, daeth mynd i ffwrdd yn haws, a chwmni ein gilydd rywfaint yn felysach mewn gwlad ddieithr, yng nghanol pethau dieithr, fel pe baem ein dau'n amsugno peth o'r dieithrwch i mewn i ni ein hunain, ac yn hynny o beth, yn ein gwneud ni'n fwy deniadol i'n gilydd. Dianc maen nhw'n ei alw fo, ac mae miloedd o wahanol ffyrdd o ddianc, ond 'run ohonynt yn ddihangfa lwyr.

Ym Mharis, y llynedd, safem ein dau yn y Louvre yn wynebu'r *Mona Lisa*, ei law ef yn fy llaw i. Roedden ni ein dau wedi'i gweld hi fwy nag unwaith o'r blaen. Wrth syllu i'w llygaid, cododd ysfa ynof i ofyn iddi hi pwy nath, gan fod y wên 'na, y llygaid 'na, fel pe baen nhw'n gweld ac yn gwybod pob cyfrinach oedd wedi'i chuddio rhagom. Yr un hen gwestiwn, cwestiwn chwarter canrif, ond y tro hwn, rown i'n ei ofyn i ddarlun.

Wnes i ddim meddwl mod i'n rhoi llais i 'pwy nath', ond yr eiliad y gwnes i, rown i'n gwybod. Y sŵn bach o gyfeiriad Dan a roddodd gadarnhad i mi, sŵn mor gyfarwydd i mi: sŵn ochenaid ei ddiflastod. Yma, yn y Louvre, gerbron y *Mona Lisa*, roedd o'n gorfod fy nghlywed i'n gofyn yr un cwestiwn a ofynnwyd gen i filoedd o weithiau. Clywais yn ei ochenaid ddyfnder ei ludded wrth glywed eto y ddau air a ddynodai mod i'n dal i droedio dŵr heb symud ymlaen fodfedd ers pedair blynedd ar hugain; clywais lwyr artaith ei fywyd efo mi a 'nghwestiwn yn yr ochenaid bach hwnnw.

Dau air. 'Pwy nath?' wedi ein dilyn i Baris a chwalu ein wythnos o wyliau'n chwilfriw.

Dros y flwyddyn ddiwethaf, a phrin yr un uchelgais ar ôl gen i mwyach, wrth i mi lwyddo i'w cyflawni o un i un, ac wedi 'laru ar chwysu'r wên fodlon y cyfeiri ati ar fy wyneb fel simpansî, cefais fy hun yn llithro'n ôl eto i'r un merddwr ag y cefais fy hun yn ei ganol dros y blynyddoedd cynnar. Dechreuodd y llwyddiannau bylu fwyfwy wrth i mi edrych yn ôl drostynt, a methu teimlo balchder.

Yr unig beth oedd gen i oedd stwff. Stwff tŷ – y cyfrifiaduron, peiriannau, teclynnau, offer; CDs, DVDs, nic-nacs, lluniau a llyfrau, llyfrau, llyfrau. Stwff dihysbydd ein bod, bocseidiau ar focseidiau ohono, wedi'u sodro i bob twll a chornel, fel pe bai'r mesur ohono'n fesur ohonom ninnau. Stwff, fel hoff gwrlid plentyn, fel dymi babi bach. A'r stwff arall wedyn: y graddau, drafftiau cyntaf, cyfrolau cyhoeddedig, adolygiadau, sylw'r cyfryngau, gwobrau, anrhydeddau. Yn casglu amdanom ac atom fel fflyff o amgylch ein llwnc.

Cawn fy mygu gan y stwff, fy llethu ganddo, y stwff gweledol ac anweledig a oedd wedi casglu o'm cwmpas nes i mi fynd ar goll yn ei ganol.

Rhaid oedd cael gwared ar y stwff, llenwi 'myd â gwacter fel y gwacter y tu mewn i mi, er mwyn gostegu'r môr garw o bethau a'm drysai. Y cyfan y gallwn feddwl amdano oedd carthu. Dechreuais efo'r tŷ. Spring-clîn oedd dechrau'r daith a chael fy hun yn fuan iawn yn cael gwared ar fwy a mwy o bethau. Bob penwythnos, llenwn y car â stwff byw (i bobl llai cythryblus eu byd na mi), geriach blêr ein bod (y rhan fwya ohono'n gweithio'n iawn), y trimins oll i gyd. Fedrwn i ddim goddef y tŷ'n llawn, a daeth ei garthu'n obsesiwn, yn union fel pe bawn i'n credu y gallwn gael gwared ar y pydredd a'r llwydni a'r gwacter ynof fy hun drwy gael gwared ar y llawnder o stwff yn ein cartref.

Ceisiodd Dan fy rhwystro droeon, a buan y gwelodd fod y clirio lloerig hwn eto'n rhan o'r un aflwydd. Nid ymdrechodd yn rhy galed i ddal pen rheswm â mi, ac yntau'n gwybod na ddôi lles o geisio gwneud hynny. Ciliodd fwyfwy i'w stiwdio a gadael i mi gael gwared ar y stwff a'm llethai.

Wedi'r geriach, ces wared ar silffeidiau bwy'i gilydd o lyfrau, a doedd gen i ddim mwy o lygaid at gadw fy nghyfrolau fy hun fwy na chyfrolau neb arall. I'r bin ailgylchu yr aeth y cyfan – O, na allwn i ailgylchu fy hun yr un mor hwylus – a'r lluniau oddi ar y waliau (ac eithrio rhai Dan), y clustogau a'r carthenni oddi ar y celfi, wedyn y celfi. Bob penwythnos, rhown fy oriau hamdden i hyrddiad o glirio. Aeth tomennydd o ddillad i Oxfam, ynghyd â thlysau, colur, cardiau, llestri. I'r bin neu i elusen â'r cyfan.

Stwff oedd wedi bod yn cuddio'r gwacter, ac o leia roedd y gwacter yn onest. Heb y stwff, ystyriwn, gallwn anadlu eto.

Roedd sŵn gwacter yn llenwi'r tŷ. Y waliau'n foel a'r ystafelloedd bron yn ddiddodrefnyn. Beth wedyn?

Wedyn, a'r tŷ'n dal i deimlo'n rhy lawn o stwff, dechreuais feddwl am ei werthu. Cefais asiant i alw i'w brisio er mwyn cael gosod bordyn Ar Werth ar y wal allan, a chlywais i ddim pa bris a farnai'n bris teg amdano. O'm rhan i, câi fynd i'r sawl oedd ei eisiau, faint bynnag y dymunai ei roi amdano. Roedd y tŷ'n rhan o'r stwff, ti'n gweld, ac roedd rhaid cael gwared arno. Os oeddwn i'n meddwl am y dyfodol o gwbwl, barnwn y gwnâi rhentu ystafell i mi fy hun yn rhywle y tro, ystafell wag am y gwacter oeddwn i. Fi, sylwa. Nid ni.

Roedd Dan hefyd ar fy rhestr o stwff i gael gwared ag e.

★

Felly, paid â meiddio sôn wrtha i am liw, a blodau, a llwyddiant, Glyn. Dim ond Dan sy'n nabod y pydredd o dan y colur a wisgais amdanaf. Y fath wyneb, y fath ffieidd-dra, sydd yn dy addefiad o gariad! Dim ond y dyn sydd wedi byw â madredd yr hyn sy'n weddill ohonof all feiddio fy ngalw i'n gariad iddo.

Dyma'r byw a roist ti i ni dros chwarter canrif. Dyma fesur dy drosedd. O do, rhoist ateb i'r un cwestiwn a feddiannodd flynyddoedd ein priodas, y cwestiwn a roddodd farrau rhwng Dan a minnau, ac a'n caethiwodd mewn pwll tro diderfyn, y cwestiwn a ddeifiodd y wir Heulwen a oeddwn gynt, a chwalodd y blodau'n slwtj, y cwestiwn a oedd fel rhaffau am fy ngwddf a gwddf fy ngŵr. Yn rhy hwyr, cefais wybod. Y fath wybod! Cedwaist rhagof yr unig gyffur oedd ar ôl i leddfu'r boen, yr unig ateb a fyddai wedi gadael i amser fy symud ymlaen, i weithio'i foddion drosof, a thros fy mhriodas. Trwy dy oedi hir, gwaedaist y dafn olaf un o obaith o galon y dyn a roddodd ei oes i wrando ar yr un cwestiwn na fedrai ddechrau ei ateb.

Gan hynny, Glyn, rwy'n anfon y dalennau hyn atat ti, fel y gelli agor cil y drws ar wir faint dy drosedd. Gwnaf hynny'n awr cyn i'm gwaed ddechrau cynhesu eto, a chyn i mi gael fy nhynnu'n ôl at y mesur bychan o drueni a deimlais ar droeon wrth ddarllen y deipysgrif a anfonaist ataf, rhyw dosturi at dy deulu a barai i mi oedi, rhyw wrthrychedd a geisiai fy narbwyllo mai mwydro dyn o'i gof oedd dy eiriau.

Dyna ydynt, yn ddi-os. Ond bûm innau o 'nghof mor hir fel na wn i bellach beth yw bod yn gall.

Mi seliaf yr amlen, a mynd i swyddfa'r post ar waelod y stryd i'w phostio. Wedyn, mi ddof yn ôl yma i goginio pryd o fwyd i'r gŵr rwyf i mor agos i'w golli.

Wnaiff pryd o fwyd ddim ei gadw, mi wn. Ond efallai y bydd darllen dy gyffes yn mynd â ni gam o'r ffordd bell sydd gennym o'n blaenau i'w cherdded cyn y gallwn ddweud i ni achub ein priodas. Ac efallai y bydd fy nghlywed i'n dweud wrtho fod y cwestiwn a drawai fel cnul yn gefndir i chwarter canrif o ymdrech bellach wedi'i ateb yn dwyn peth rhyddhad iddo. Wedyn, cawn weld.

Mae blodau'n gwywo, ti'n gweld, Glyn. A blodau eraill yn tyfu yn eu lle.

TRI

19

Mae'n ymddangos ymhell yn ôl, a hithau ddim ond yn un flwyddyn fer.

Yn y caffi yn Howells ro'n i'r prynhawn 'ma pan welais i Dilys. Roedd hi yno efo Awel Mai, yn cael paned. Am eiliadau, wnes i ddim ei nabod hi, gan mor wahanol ei gwedd. Mae hi wedi twchu, a'i gwallt wedi britho'n arw, wedi gadael iddi'i hun fynd, fel mae'r hen ymadrodd hyll yn ei ddweud. Wn i ddim pryd gwelaist ti hi ddiwethaf, ond mae 'na olwg ddigon pethma arni, golwg wedi torri. Ond pa ryfedd yntê?

Bûm yn pendroni'n hir cyn ysgrifennu hyn o bwt. Ond credaf fod angen i ti glywed ambell beth gen i.

Cefais dy hanes diweddar gan Awel. Gwn iddi ymweld â thi. Nid pob merch fyddai wedi dal ati i wneud. Rwy'n falch dy fod yn gwella. Nid ydi dweud hynna'n hawdd i mi, ond mae'n wir.

Ar gychwyn i Eisteddfod Glynebwy mae Dan a mi. Wedi penderfynu mynd yno i aros am wythnos er nad ydi'r siwrnai'n un hir i'w theithio'n ddyddiol. Eisiau newid gwynt am wythnos ydyn ni – a rhoi llonydd i'r adeiladwyr ddod i ben â'u gwaith yng nghefn y tŷ. Mae Dan wedi penderfynu symud ei stiwdio i'r tŷ, ti'n gweld. Bydd hi'n braf cael ei gwmni. Mae'r tŷ'n wag yn ystod y dydd pan fydd hi'n wyliau coleg – ac mae mwy o wyliau nag o goleg i mi'r dyddiau hyn a minnau wedi penderfynu lleihau fy maich gwaith er mwyn dilyn trywydd fy mhrosiectau fy hun adra.

Mi ddywedodd Awel dy fod yn edrych yn dipyn sioncach pan ymwelodd â thi yr wythnos diwethaf, heb ddim o'r dryswch a lethai dy feddwl dros y misoedd cyntaf. Ddeallais i ddim yn iawn pam na fyddet ti wedi ymladd yr achos ar sail y ffaith dy fod wedi colli dy gof. Ond rŵan – neu flwyddyn yn ôl yn hytrach – oedd hynny, onid e, nid chwarter canrif yn ôl, ar noson y ddamwain. Roeddet ti mor gall â fi yn fy ngwely eiliad cyn i ti daro Megan, onid oeddet ti, er yn fwy meddw wrth gwrs.

Wna i ddim oedi'n rhy hir dros y ddamwain gan nad bwriad hyn o ddarn ydi ailbigo hen grachod. Eisiau i ti wybod sut mae hi arna i y dyddiau hyn ydw i.

Medrwn fod wedi rhag-weld beth fyddai ymateb Dan ar ôl iddo ddarllen dy gyffes. (*Oedd* hi'n gyffes mewn difri ynta dim ond mwydro dyn gorffwyll a oedd wedi argyhoeddi'i hun mai efo fi roedd ei le?) Arhosodd ei bryd bwyd – *linguine* pysgod a baratowyd yn ofalus gen i, ei hoff bryd – heb ei fwyta tra bu'n darllen, a wnes i ddim gofyn iddo'i fwyta chwaith: roedd ei adwaith i'r hyn a ysgrifennaist yn bwysicach i mi. Pan gododd ei ben o'r diwedd, roedd o'n crio, yn ysgwyd gan grio. Cofiais dy grio di'r noson honno yn yr adlen a dychryn braidd. Methai â siarad, ond deallais yn sydyn mai dagrau o ryddhad oedden nhw, a ysgogwyd gan fy mrawddeg olaf i – do, rhoddais gopi o'm llythyr i atat at dy lythyr cyffes, fel y gallai gael syniad o'r darlun cyflawn. Ac yntau wedi byw cyhyd heb y darlun cyflawn, ac effeithiau hynny arnaf i, teimlwn ei bod hi ond yn deg iddo ddarllen fy ymateb i i'r llanast a anfonaist ataf. Mewn amrantiad, roedd Dan wedi bachu ar y defnyn o obaith yn fy ngeiriau, wedi gweld fod y rhwystr mawr a fu fel wal rhyngom, bellach wedi'i ddymchwel. Drwy i ti ateb fy nghwestiwn o'r diwedd – *o'r diwedd*! – gwelai lygedyn o oleuni yn y pen draw. Wrth gwrs, doedd y gynddaredd a afaelodd ynof wedi i mi fod yn troi dy eiriau yn fy mhen am bythefnos ddim eto wedi gafael ynddo ef: *ni* oedd o'n ei weld gyntaf. Wedyn, câi edrych i'th gyfeiriad di.

Dywedais wrtho'n syth mai fo oedd i benderfynu ynghylch pob dim a ddigwyddai wedyn. I ni, ac i tithau. Gafaelodd ynof a mwytho fy ngwallt, fy mhen yn ei freichiau, am amser hir, a'i grio'n dal i ddod yn gryndod ynom ein dau. Gofynnais iddo am amser i feddwl, ond gwyddwn o'r gorau ein bod wedi gallu stopio cyn cyrraedd y dibyn ar ein priodas. Ac fel y gelli gasglu bellach, roedd hynny'n wir. Digon ydi dweud mai'r flwyddyn ddiwethaf yma fu'r orau o bell ffordd i ni'n dau ers noson y ddamwain, ac mae hynny'n beth wmbreth o flynyddoedd.

A thuag atat ti − wel, fe wyddost na fu Dan cweit mor oddefgar. Pa adyn byw fyddai wedi gallu bod? Ti oedd lleidr yr holl flynyddoedd, a daethost yn agos at ddwyn ein priodas oddi arnom hefyd, yn agos dros ben. Wnaeth Dan ddim oedi. Penderfynodd roi dy gyffes yn nwylo'r heddlu. Es gydag ef, a buwyd am oriau'n cysylltu â Heddlu Dyfed-Powys a fu'n chwilota am ffeil ddegawdau oed. Daeth plismon draw i'r tŷ, a dyna pryd y deallon ni fod plismyn eraill wedi'u gyrru i'th gartref i'th arestio. Cefaist dy gnoc ar y drws. Teimlwn dosturi dros Dilys a'r plant.

Ac fel y gwyddost, yn wyrthiol llwyddwyd i ddod o hyd i'r hen gar a thystiodd y profion DNA, nad oedd ar gael chwarter canrif yn ôl, mai hwnnw drawodd Megan. Mor syml yn y diwedd. Mor sydyn o syml. A dyna, wrth gwrs, sut y daethost i fod lle rwyt ti.

Pedair blynedd sy'n weddill gen ti. Byddi allan ymhen dwy, mae'n siŵr gen i. Cred fi, Glyn, dydi dwy flynedd yn ddim byd. Dim byd o gwbwl.

Efallai nad oes rhaid gofyn, ond pan ddoi di allan, Glyn, wnei di gadw'n glir? Fydd Dan na minnau ddim ffeuen o eisiau dy weld. Ac os tarwn ar ein gilydd, mewn eisteddfod (neu a ydi steddfodau'n bennod a fydd yn gaeedig i ti bellach?) neu yn unrhyw le arall, gofynnaf i ti beidio ag oedi i siarad â ni. Fydd gen i ddim mwy i'w ddweud wrthyt.

Do, mi ddywedodd Awel dy fod di'n well. Mae ei gofal amdanat yn rhyfeddol o ystyried popeth. Mae gan blant ddawn i faddau i'w rhieni. Ond beth wn i, yntê?

A sôn am dy blant, sut mae Llion? Yn yr adlen y noson honno, fe'm trawodd fel hogyn rhyfeddol o gall y tu ôl i'w dymer. Gwrando ar y callineb hwnnw a gweld heibio i'w dymer. Mi ddaw yntau'n dad eto, siawns, a daw magu plant â bodlonrwydd iddo yn ei sgil.

Dydw i ddim yn hollol siŵr o hyd pam rwy'n ysgrifennu atat. Nid i daenu fy hapusrwydd – ia, hapusrwydd – ger dy fron fel lliain bwrdd ac arno lestri aur fy ngoruchafiaeth dros y gorffennol hir a roddaist i mi. Na. Nid chwaith i roi unrhyw foddhad y medret ti ei ganfod i ti dy hun fod cyfaddef yn y diwedd wedi dwyn bendithion i Dan a fi – o na, mae'r ffaith i ti ddwyn ein blynyddoedd yn ogystal â'n merch oddi arnom yn gorbwyso unrhyw ddiferion o hapusrwydd y medrwn ni ei wasgu o'r blynyddoedd nesaf hyn, blynyddoedd ymddeol a thyfu'n hen gyda'n gilydd. Efallai nad ydi hi ond yn deg na chei di brofi'r un peth dy hun.

Tosturiaf at Dilys – efallai mai dyna pam rwy'n ysgrifennu. Dilys o bawb, yn gorfod wynebu dyfodol ar ei phen ei hun. Deallais, cofia, ei bod hi newydd roi hysbyseb yng ngholofnau'r *Dinesydd* yn gwahodd aelodau i'r parti cerdd dant mae hi'n bwriadu ei sefydlu yma yn y brifddinas. Go dda hi. Hyd yn oed yn ei hadfyd, mae'r hen Ddilys yn dal i lwyddo i dywynnu.

Fydda i ddim yn ymaelodi â'i pharti chwaith, rhag i

grafangau'r gorffennol barhau i geisio cripio drwy 'nghnawd. Ac mae'n well gen i fod adref yn fy nghartref fy hun gyda'r nosau bellach.

Mae Dilys yn ymddangos fel petai wedi setlo'n eithaf efo Awel. Er na all fod yn hawdd iddi orfod rhannu'r ddinas â Dan a fi, a charchar Caerdydd. Roedd ei llygaid yn wyliadwrus iawn wrth i mi nesu atyn nhw yn y caffi, er fy mod i wedi plastro'r wên fach fodlon a ddisgrifiaist yn llydan iawn dros fy wyneb i ddangos iddi mod i'n dod mewn ysbryd heddychlon.

Wythnos ar ôl yr Eisteddfod, mae Dan a minnau am fynd draw i Ddulyn i geisio dad-wneud yr hyn a ddigwyddodd y tro diwetha y buom ni yno ein dau, yn fflitian rhwng un peth a'r llall fel pili-palod yn chwilio chwilio, ac yn y gobaith na fyddwn ni, y tro hwn, yn cael ein hunain yn gofyn 'Be 'dan ni'n da 'ma?'

Efallai mai Paris a'r Louvre a'r *Mona Lisa* fydd hi y flwyddyn nesa, i mi gael dweud wrthi mai ti nath.

20

Dwi wedi'i ddarllen e fwy o weithie nag y galla i gyfri. Llythyr Heulwen. Ail lythyr Heulwen, i'w roi at y cyntaf, er mai pennod Heulwen yw'r ddau lythyr i fi, am mai pennod Heulwen oedd hi yn 'y mywyd i. Honno oedd yr unig bennod am gymaint o amser. Ond alla i ddweud erbyn hyn, iddi gael ei chau: pennod yn unig oedd hi wedi'r cyfan, ac mae 'na barhad i fi ar ôl iddi orffen. 'Na pam dwi'n sgwennu. I ddangos i fi'n hunan mod i'n cario mla'n. Therapi falle, er nad oes angen therapi arna i nawr. Er mod i'n gorfforol yn dal tu mewn i walie carchar, dwi mas yr ochor arall hefyd.

Ddangosa i ddim o'r geiriau hyn i Heulwen. Mae hi wedi gweld digon o'n stwff i, a dim ond gobeithio iddi bellach daflu 'nghyffes i i'r bin 'da'r holl stwff arall daflodd hi, a'i bod hi nawr wedi gorffen taflu stwff. Ma hi'n swnio felly.

Geith hwn fod yn ddechrau dyddiadur. Ma'n hen bryd i fi sgrifennu eto – sgrifennu ar 'y nghyfer i'n hunan, a ddim i lyged neb arall. Dafles i nodiade Dafydd.

Ma deunaw mis ers i fi roi gair ar bapur, a blwyddyn ers i fi beido bod â phapur o mla'n hyd yn oed os bydde 'da fi air i roi arno fe. Rhaid gofyn am bopeth fan hyn: mynd i'r tŷ bach, mynd i weld y doctor, pen a phapur i sgwennu llythyr, amlen, stamps... Peder blynedd arall sy 'da fi, ond ma gobeth fydda i mas ar ôl dwy. Tair blynedd i gyd. Fawr o amser, a gweud y gwir.

Roedd y chwe mis cynta'n anodd, yn teimlo'n drybeilig o ara deg, fel malwoden yn croesi ca', yn rhy bell i weld yr ochor draw, ac yn gorfod mynd er gwaetha'r teimlad na fydde'r pen arall byth yn cyrr'add. Cyfri dyddie, cyfri orie, a'r tamed bach o'n i eisoes wedi'i dreulio 'ma yn ddim byd o'i gymharu â faint oedd yn fy aros i. Treial gweitho ffracsiyne amser mas – tri mis yn oes ac eto ond yn un rhan o ugen o bum mlynedd. Chwe mis yn oes arall ac eto ond yn ddwy ran o un deg naw. Ac eto, ddim 'yn lle i yw gweld yr amser yn hir.

Roedd lot 'da fi i'w ystyried dros y miso'dd cynta hynny: ca' anferthol amser; y ffaith bo fi'n falwoden; byw dau fywyd – yr un mewn fan hyn, a'r un arall ro'n i'n ei ddychmygu ar wefuse'r bobol tu allan, yr un roedd Dilys yn gorfod byw 'dag e (un anodd oedd hwnnw); a Heulwen. Yr obsesiwn amdani'n dal i redeg drwy 'ngwythienne i, a finne'n dal i dwyllo'n hunan mai Dan ddangosodd 'y nghyffes i i'r heddlu, nid hi, dal i gredu, er gwaetha'r hyn sgwennodd hi yn 'i llythyr cynta, fod dyfodol i Wydion a'i Flodeuwedd. Ma 'nghywilydd i wrth edrych 'nôl yn gwneud i fi chwysu.

Ond ma'r ail lythyr 'ma gan Heulwen yn dangos mor ofer yw cywilyddio. Emosiwn sy'n esgor ar ddim yw e yn y bôn, teimlad sy'n llawn o ing, ond sy'n wag a dibwrpas hefyd. Wnaeth cywilydd erioed droi'r cloc yn ôl. Dros fy misoedd cynta yn y lle 'ma, hi, a'r gobaith gwallgo amdani, oedd yn 'y nghadw i rhag chwalu'n llwyr. Y llun oedd 'da fi yn 'y meddwl ohoni'n fy nghroesawu i mas drwy ddrws y carchar. Shwt gwmpes i mor isel? Ac wrth i fi wella, diosg y rhwyd o wallgofrwydd roedd hi wedi'i bwrw amdana i, dechreues i feddwl am y lleill, y teulu ro'n i wedi'i fradychu, y rhei ar y tu fas oedd yn gorfod byw 'da'r penawde papur newydd, y sylweddoliad, y siom. A doth hynny â chywilydd arall i'r amlwg, yr hen gywilydd dwi wedi'i warchod tu fewn i fi dros yr holl flynydde, ac wedi'i fowldio at 'y niben i'n hunan nes creu anghenfil newydd ohono. Hen emosiwn diwerth yw cywilydd. Erbyn hyn, dwi'n gweld bod rhaid dechrau 'da slaten lân, a dwi'n falch – ydw, dwi'n falch – mod i wedi ca'l 'yn rhoi fan hyn i weitho ar 'yn slaten lân. Allen i byth â bod wedi'i cha'l hi yn unman arall.

Heddi, moyn beth *oedd* 'da fi, yr allanolion oedd 'da fi – moyn rheiny dwi. Dilys a phopeth ddoth ohoni. Moyn Dilys i 'nghroesawu i mas drwy ddrws y carchar. Moyn hynny'n fwy na dim, nawr bod e ddim 'da fi, nag yn debygol o ddod 'nôl ata i.

Roedd 'na bishyn bach ohona i, hyd yn o'd yn y dyddie pan o'n i'n twyllo'n hunan fwya am Heulwen, yn ysu am y gnoc ar y drws. Y gnoc, o'i chlywed hi'n ddigon cynnar, a fydde wedi gadel i fi gadw cyment o bethe fydda i byth yn 'u ca'l 'nôl. Pe bai'r gnoc wedi dod yn y dyddie wedi'r ddamwen, a'r heddlu wedi archwilio'r car – fydde dim rhaid iddyn nhw, fydden i wedi baglu dros 'yn hunan i gyfadde – a rhoi dau a dau at 'i gilydd yn deidi, fydden i ddim wedi cario'r ddamwen 'da fi yn 'y mhen am hanner 'yn oes. Dwi'n gweld nawr na fydde Heulwen na Dan wedi gorfod gwneud hynny chwaith. Bydde'r dernyn jig-so ola 'na wedi'u rhyddhau nhw i fyw – rhwbeth yn debyg i'r ffordd y gwnaethon nhw fyw beth bynnag, yn allanol, ond heb gysgod y cwestiwn hwnnw a gadwai Heulwen â'i thraed yn sownd ar y ffordd o flaen Ty'n yr Ardd yn syllu ar gorff Megan. Byddai'r allanolion yn debyg, dyna dwi'n ei weld nawr, yr un uchelgais i fynd â'i bryd, i lenwi ei bywyd gwag, ond byddai'r mewnolion mor wahanol. Dwi'n deall nawr – pwysigrwydd y mewnol.

Golles inne ddau blentyn y noson uffernol honno y collon nhw Megan (dyna fi eto'n ymbellhau fy hunan o'r peth – cywiriad: y noson honno y lleddais i Megan). Camais yn ôl i mewn i'r car a gyrru adre. A sodrwyd 'y nwy dro'd inne ar y ffordd uwchben corff y ferch fach yn union fel tra'd Heulwen. Am chwarter canrif, bu'r ddau ohonon ni'n sefyll uwchben y corff, yn methu symud oddi wrtho. Dan ddioddefodd am fod Heulwen mas ar y ffordd drwy'r haul, y glaw a'r eira, a Dilys ac Awel a Llion ddioddefodd am fy mod inne mas 'na, yn yr un lle, ym mhob tywydd, yn methu'n lân â symud oddi yno.

Lliwiai corff y ferch fach fy holl ymwneud, neu fy holl ddiffyg ymwneud, â 'ngwraig a 'mhlant. Fel pe bai rhan o fy isymwybod yn eu bwrw nhw mas o 'mywyd inne am i fi fwrw Megan mas o fywyde dau arall. Allwn i ddim eu mwynhau nhw, a finne mas ar y ffordd, allwn i ddim neud mwy na mynd drwy'r mosiwns, a 'meddwl i yn rhywle arall, yn yr un lle o hyd. Megan ddaeth ohoni ore: aeth hi o'r byd 'ma cyn iddi wbod beth oedd bod ynddo fe. Ar amrantiad di-boen, heb unrhyw ymwybyddiaeth. Bron fel erthyliad. A gadawodd y gweddill i ddiodde. Pe bawn i wedi gweld hynny, maint y diodde, yn lle darllen yr ymdrechion i blastro dros y diodde fel arwydd nad oedd e 'na…

Ma plant yn gwbod pan fo'u rhieni nhw'n absennol tu mewn. Wa'th faint o eirie siaradwch chi, boed yn ganmolieth neu'n gerydd, yn gefnogeth neu'n gariad, maen nhw'n gweld tu fewn, i'r man y daw'r geirie ohono fe, ac os nag y'ch chi yno, yn cefnogi'r geirie tu fewn, wnân nhw ddim credu'r geirie, wnân nhw ddim eich credu chi. Ma sawl ffordd y gall rhiant fod yn absennol.

Pan ddoth y gnoc yn y diwedd, roedd hi'n rhy hwyr. Rown i wedi colli 'mhen, a ffiniau pob rhesymeg wedi'u tynnu fel lastig nes torri. Ma'n bosib mai rhyw bwyll oedd yn weddill ynof i roddodd y stamp ar amlen 'y nghyffes i, yn galw arna i o'r diwedd i wahodd cnoc yr heddlu ar y drws, yn gweiddi am ollyngdod.

Nid felly y gwelwn i bethe ar y pryd, wrth gwrs. Allwn i ddim gweld heibio i Heulwen. Wedi'r cyfan. Hi fu gyda fi, y fi tu fewn, dros yr holl flynydde, yn gwylio dros gorff Megan ar y ffordd, yn llenwi fy nosweithie effro. Ma agosrwydd fel yna'n bownd o arwain at serch, boed hwnnw'n gelwydd oll i gyd neu beidio. Wrth ei diffodd hi ar radio, ar sgrin, rown i'n ei chadw hi ynghynn ynof i, yn cynnal yr agosrwydd rhyngon ni, yn ei chadw hi yno gyda fi ar ochor y ffordd.

Ces achos digon digyffro. Tu allan, ar dafodau, mewn print, yn Dilys a'r plant, yn Heulwen a Dan, roedd y cyffro. Pledies i'n euog, er na wydden i'n iawn beth rown i'n neud. Credwn y dôi Heulwen i'r achos, ond ddoth hi ddim. Credwn y rhôi Heulwen air i mewn drosof i, geirda am fy nghymeriad, ond wnaeth hi ddim. Credwn o hyd y dôi i 'ngweld i fel gwaredwr, fel crëwr ei hunan newydd, ac wrth gwrs, wnaeth hi ddim o'r fath beth. Am fisoedd wedi i fi ddod i'r fan hyn, daliwn i gredu y dôi hi i 'ngweld i. A ddoth hi ddim.

Yn ara bach, llwyddes i godi 'mhen uwchben y dŵr a theimlo realiti'n clirio'r cowdel yn 'y mhen unwaith eto. Yn rhyfeddol o sydyn hefyd, o ystyried mod i wedi bod yn gaeth i afrealaeth cyhyd; mae chwe mis yn amser byr i ddyn ddod at ei goed ar ôl chwarter canrif. Fe weles i eirie ei llythyr cynta a'u deall nhw am y tro cynta, er i fi eu darllen nhw droeon cyn eu gweld, a llurgunio rhyw wirionedd gwyrdroëdig i fi'n hunan ohonyn nhw.

Ces fy ngharcharu am yrru i ffwrdd a gadel y corff. *Hit and run.* Roedd hi'n amhosib iddyn nhw brofi mod i wedi bod yn yfed, wrth gwrs, er i fi gynnig y wybodaeth honno iddyn nhw hefyd. Ac er eu bod nhw'n gweld 'mod i ddim yn hanner call adeg yr achos, y farn oedd 'mod i'n gwbwl gall ar noson y ddamwain. A phwy o'n i i anghytuno? Union fili-eiliad y taro es i o 'ngho'. Rhybuddiwyd awdurdode'r carchar i gadw llygad ar 'y nghyflwr meddyliol i.

Fe gân nhw lacio'u gwyliadwreth. O'r diwedd dwi'n credu mod i'n gall. Gyda chnoc yr heddlu ar fy nrws, gosodwyd llwybr fy iachâd. Chwarter canrif yn rhy hwyr.

Ara deg yw plismyn.

★

Ddoth Awel i 'ngweld i prynhawn 'ma, fel arfer ar ddydd Iau. Dwi wedi siarad mwy 'da hi ers i fi ddod ar 'y ngwylie i'r fan hon na 'nes i erio'd o'r bla'n. Dwi'n dechrau dod i'w nabod hi, a nabod y creithie roddodd blynydde o'i hamddifadu arni. Ma hi wedi rhoi to uwchben Dilys ers i honno werthu'r tŷ yn ei chywilydd ohona i.

Anodd meddwl am Dilys mewn dinas. Pwll go fawr iddi dyfu ynddo. Ddoth hi ddim i 'ngweld i unweth, a go brin y bydden i'n disgwyl iddi ddod. Yr olwg ola ges i arni oedd ar ei hyd ar y soffa adre – ein hen adre bellach – ar fore'r achos, a'i hwyneb hi wedi diffodd ers wythnose, ers y gnoc ar y drws. Ddwedes i ddim byd wrthi, a ddwedodd hi ddim byd wrtha i. Roedd y Ddifa wedi'i difa. A fi nath.

'Dwi wedi dachre sgwennu 'to,' meddwn i wrth Awel prynhawn 'ma. 'Dim byd mowr. Dyddiadur.'

'Fuodd 'da fi ddyddiadur unweth,' medde Awel. 'Cyn iddo fe ddirywio'n ddim byd ond rhestre. Rhestr o galorïe ro'n i wedi'u byta, rhestr o bethe do'n i ddim i fod i fyta, rhestr o bethe i neud, rhestr o bethe i ddarllen, beth i wotsio ar y bocs.'

'Wrth dy fam ti'n ca'l 'ny,' meddwn i wrthi, a cheryddu fy hunan yn rhy hwyr. Digon hawdd beio Dilys a'i ffyrdd. Chafodd Awel gynnig dim gen i. Ceisies newid y pwnc. 'Shwt ma gwaith?'

'Iawn,' medde Awel, a swniai'n debycach i ddiddrwg, didda.

'A beth am Eirug?' holais. Roedd hi wedi mentro agor allan y troeon diwethaf, ac wedi datgelu fod 'na gyw garwriaeth ar y gweill ganddi. Wrth edrych arni, gwrando arni, gallwn yn hawdd ddeall pam.

'Ma fe'n dal 'na,' medde Awel. 'Hirach na neb hyd yn hyn. Pedwar mis.'

Rown i eisie gofyn iddi oedd hi wedi sôn wrtho am ei thad a ble roedd e, a pham. Ond roedd cwlwm ar 'y nhafod i.

'Bach yn lletwhith a Mam yn byw 'da fi.'

Oedd. Ac arna i ma'r bai.

'Do's dim awydd whilo am rwle arall arni? Rhwle iddi hi 'i hunan? Ma digonedd o arian yn y banc i dalu am fflat fach o leia. Ma arian y tŷ'n iste 'na heb 'i iwso.'

'Bach yn ddiflas yw hi,' medde Awel. 'Dim wmff.'

Bob tro yr holwn am Dilys, yr un math o ateb gawn i.

'Beth am y parti cerdd dant? Glywes i 'i bod hi wedi dachre sôn am ffurfio un.' A dyna fradychu gwybodaeth y gallwn fod wedi'i chadw rhagddi.

'Shwt ti'n gwbod?' saethodd edrychiad ei mam ataf.

'Heulwen sgwennodd ata i.'

'O.' Llawn. Cyforiog o bopeth, sylweddoliad a chwestiynau rif y gwlith y tu ôl i'w 'O' bach hi.

'Gei di weld 'i llythyr hi.' Estynnais y tudalennau o 'mhoced gan gadw un llygad ar y sgriw. Doedd e ddim yn edrych, neu doedd ganddo ddim iot o ddiddordeb, anodd gweud. Bwrodd Awel ei llyged dros y llythyr heb ei godi oddi ar y bwrdd.

'O,' medde hi wedyn ar ôl gorffen darllen.

'Pam ti'n dod 'ma?' holes iddi cyn gallu ffrwyno 'nhafod. 'Pam ti'n dal i ddod 'ma i 'ngweld i?'

Swniai fel cyhuddiad, fel gwrthodiad, er nad dyna oedd e o gwbwl.

''Wy'n ferch i ti, ti'n cofio?' brathodd hithe'n ôl. 'A ta beth, pwy arall ddaw?'

Gafaeles yn ei llaw ar y bwrdd. Roedd ei llyged hi'n llawn dŵr, fel fy rhei inne.

Beth 'nes i i haeddu'r ferch ddieithr hon?

21

Dwi'n ca'l blas ar sgwennu'r dyddiadur 'ma. Cyment mwy o flas na sgwennu nofel. Galle hwn gystadlu am wobr Llyfr y Flwyddyn – beth gâi darllenwyr dosbarth canol y Gymru sydd ohoni'n well na dyddiadur carchar? Nid carcharor dros egwyddor, dros yr iaith, un a aberthodd dros achos, ond dyddiadur troseddwr go iawn. *Criminal!* Rhôi fyd newydd iddyn nhw.

Na. Pa iws sgwennu i gynulleidfa? Fi'n hunan yw'r unig gynulleidfa dwi moyn a'r unig un dwi'n ei haeddu. Ma gormod yn rhuthro i brint. Caiff Heulwen y wobr am ei 'phrosiect newydd', beth bynnag yn y byd yw hwnnw. Pob lwc iddi. Caiff fod yn feirniad y gystadleueth, arwen y seremoni wobrwyo, a'i hennill, do's dim ots 'da fi. Ma 'da fi 'mhrosiect 'yn hunan, un sy'n delio â phobol o gig a gwa'd, o 'nghig a 'ngwa'd i'n hunan. Fe gymer weddill fy oes i'w gwblhau.

★

Ces gwmni Llion dros ginio. Trawodd ei hambwrdd i lawr ar y bwrdd yn swnllyd wrth ymyl fy un i.

'*Pater*,' cyfarchodd fi. 'Ti'm yn mindo os stedda i 'da ti? Sai'n drewi. Ges i gawod bore 'ma.'

Mae e wedi addasu i'w fyd newydd yn rhyfeddol o sydyn. Falle bod ca'l wyneb cyfarwydd yn y lle 'ma'n help, er mai fy wyneb i yw e. Roedd golwg ddigon tila arno pan weles i fe gynta'n ciwio am ei ginio fis yn ôl, ddim fel fe 'i hunan o gwbwl. Fel 'se'r carchar 'ma wedi mynd o dan 'i gro'n e mewn ffordd na allodd neb na dim cyn hynny, ond buan y sythodd yr ysgwydde 'na, wrth iddo ddechrau ymgynefino, a falle'i bod hi'n haws gweld pen draw ca' o ddeufis. Dyw e ddim chwaith yn falwoden fel 'i dad.

Cynhaliwyd ei achos cynta fe bythefnos wedi'r Steddfod, ac ychydig iawn dwi'n ei gofio am y manylion a gweud y gwir, am fod 'y mhen i'n rhy lawn o Heulwen ar y pryd i adel dim byd arall i mewn heibio iddi. Ac ma'r achosion erill ddoth wedyn, fy un i, a'r achos a arweiniodd at ei garcharu (er nad own i yn hwnnw) wedi drysu'r atgof sy gen i amdano. Carchar gohiriedig gafodd e'r tro cyntaf hwnnw. Dwy flynedd o fihafio. Fe fydde wedi neud mwy o les iddyn nhw alw ar y sêr i ymgynnull i ganu'r anthem na gofyn i Llion fihafio.

Gwylies i fe'n cnoi ar ddarn o ham digon crebachlyd ei olwg a meddwl beth oedd yn gyrru'i injan e. Dros y chwe mis wedi'r ddedfryd gynta, a finne wedi'n lapio'n dynn rhwng walie jêl, fe benderfynodd Llion newid tacteg a mynd ar ôl Rhian yn lle bygwth ei chariad â dyrne, a dechreuodd ei nychu: dros y ffôn i ddechrau. Ffoniai hi ganol nos ar ei mobeil i holi'r un hen gwestiyne, a hithe'n rhoi'r un hen atebion nes iddi ga'l mwy na llond bol. Pam bennest ti 'da fi? Beth s'da fe sy ddim 'da fi? Ddoi di 'nôl ata i? Ga i jans arall? Cwestiyne fel cerdd a ddysgodd ar ei gof, a hithe'n ateb â'i cherdd hithe yr un mor ddwfn yn ei chof: am bo ti'n gythrel dwl; ma 'da fe reoleth ar 'i hunan a sdim 'da ti; na, ddo i ddim 'nôl; na chei, chei di ddim tshans arall.

Ar ôl blino ar ei ffonio, gofyn yr un cwestiyne a chael yr un atebion, dechreuodd alw heibio i'r ysgol lle dysgai Rhian, a bod yn blydi niwsans yn fan 'ny, methu gadel llonydd iddi. Ac yna, dechrau galw heibio'r tŷ a rannai Rhian a Rich, ac yn anorfod, glaniodd dwrn arall ar drwyn yr hen Rich (neu'r un dwrn, ar ail achlysur) ac er na ddaeth yn agos at dorri'r trwyn, na gwneud unrhyw beth tebyg i'r dolur a achosodd y tro cynta pan dorrodd ei ên, cafodd Llion ei hala i'r carchar, i'r cwb, heb amode y tro hwn, heb gerdyn 'mas o jêl' na thro'd i sefyll arni yn ei achos. Torrodd yr edefyn main a lwyddodd i gadw'i waith iddo wedi'r achos cyntaf, a doth e i mewn i'r fan hyn, i ddysgu sut i droseddu go iawn gan fflyd o lancie'r un o'd â fe sy'n llanw'r lle 'ma. Ac i rannu'r un gwesty â'i dad.

Yr unig le s'da fi i ddiolch yw bod Dilys wedi torri pob cysylltiad ag ef ers y ddedfryd gynta, wedi'i gau e mas o'i byd, fel y gwnaethai wedyn â fi. Ni allai'r carchariad, pan ddaeth, fod wedi effeithio cymaint arni â phe bai'n dal i fecso amdano, yn dal i achub ei gam drwy ddweud celwydde glân gole amdano wrth unrhyw un a allai fod â diddordeb. Ac eto, fel y gwn i'n iawn, dyw'r gole ddim yn diffodd wrth i ni wasgu switsys ynon ni'n hunen, yn nag yw e? Go brin iddi allu diffodd Llion, fwy nag y gallwn i ddiffodd Megan.

'Wyt ti wedi clywed rhwbeth ambutu pryd gei di fynd mas?' holes ei wyneb llawn bwyd, a saethodd darne bach o ham a bara i 'nghyfeiriad wrth iddo ateb.

'Dim byd,' medde fe. 'Ond sdim ots 'da fi. Naf i'n stretsh.'

Gnei, meddylies, ac fe ei di mas a dyrnu'r crwt 'na sy'n mynd 'da dy gariad di cyn dod 'nôl 'ma 'to. Do's 'na'r un clefyd yn para mor hir â chariad.

'Geso i lythyr 'tho hi,' eglurodd Llion

''Tho Nia?' gofynnes. Roedd honno wedi hen godi ei phac ar ôl yr achos cynta. Fe fu'n ddigon ara deg yn deall, er hynny, nad oedd gan y bachgen a oedd yn rhannu fflat â hi owns o ddiddordeb ynddi a bod ei galon a'i ben a'i glustie yn eiddo i ferch arall.

'Nia!' Saethodd cwlffyn mawr o fara o'i geg a glanio ar fy nghrys-T. Ffliciais ef i'r llawr. 'Nia, wir! Pwy ffyc yw Nia? *Rhian* 'chan. Ges i lythyr 'tho Rhian.'

Yn ei rybuddio am y tro ola i gadw'n glir oddi wrthi, i adel llonydd iddi hi a Rich i dreulio gweddill eu bywyde'n neud plant a chadw'n glir wrth fy mab gwirion gwâr?

'Ma hi wedi bennu 'da fe.'

Gwenai arna i, a darne o'i frechdan yn sownd wrth fwy nag un o'i ddannedd bla'n. Tynnodd y llythyr o'i boced a'i ddangos i fi.

Er nad oedd ei gynnwys yn awgrymu ei bod hi'n ei groesawu fe'n ôl â breichie agored, roedd ynddo ddigon o gil y drws i Llion allu rhoi ei droed rhyngddo a'r ffrâm. Roedd Rich wedi'i baglu hi am Lunden, wedi iddi weud wrtho nad oedd hi eisie parhau â'r berthynas. Ac roedd iddi weud hynny wrth Llion yn ddigon ynddo'i hun. Ond roedd hi wedi gweud wrtho hefyd na allai anghofio'r dyrnu, pa ferch sy ishe un felly'n gariad? Galle, galle hi fadde, ond ddim anghofio. Weles i ddim synnwyr yn y dywediad erio'd 'yn hunan – pa wahanieth sy 'na rhwng madde ac anghofio mewn gwirionedd? Stribedi o'r un brethyn yw'r ddau, ac os oedd maddeuant, roedd 'na anghofio, does bosib?

''Wy 'nôl fewn 'na,' aeth Llion yn ei fla'n. 'Cwpwl o wthnose 'to, a 'wy 'nôl 'na.'

Rheges i Rhian dan 'y ngwynt am fod mor blydi ara deg yn rhoi trefen ar 'i theimlade, ond diawl erio'd, pwy o'n *i* i'w rhegi hi?

'A'r tro nesa ma ryw fachan yn damsgen ar dy dra'd di, fydd dy ddyrne di mas 'to, a 'nôl â ti fewn fan hyn,' meddwn i heb gwato'r ffaith bo fi'n becso amdano fe. Sawl gwaith eto fydd e fewn 'ma cyn i fi fynd mas, meddylies i, a sawl gwaith wedyn?

''So ti'n dyall dim byd, *Pater*? Sdim ishe tro nesa. Ma hi 'da fi nawr. *Fydd* 'na ddim tro nesa.'

'Unweth ti'n dachre iwso dy ddyrne...' dechreues i.

'Godes i rio'd fys bach at neb ond y Rich twat bach 'na,' medde Llion, heb fod cweit yn gweud y gwir, dwi'n ame. 'Ddim ond fe erio'd sy wedi bygwth 'yn saniti i drwy ddygid yr *un* peth ro'n i moyn, yr *un* person ro'n i moyn.'

Fe weles i grwt bach yn ei lyged e'r eiliad honno, crwt bach – fel bydd cryts bach – heb fod arno eisie nac angen am ddim yn y byd ond rhywun i'w garu. Fe geisies i feddwl a o'n i erio'd wedi gweud wrtho fe mod i'n 'i garu fe, a sylweddoli falle mod i wedi gweud y geirie, ond â 'mhen i'n sownd yn y gorffennol, a phlant yn deall fod gagendor mawr rhwng gair a'i ystyr, prin ei fod e wedi deall. Dyw e ddim yn natur Dilys i ddatgelu gormod o gyfrinache dyfna'r galon, ond bydde Llion ac Awel wedi dehongli'i hymwneud diflino hi â nhw – ar gerdd dant, ac oddi arno – fel cariad.

'Ma 'da cariad lond wardrob o ddillad gwahanol i'w wisgo,' medde fi wrtho fe'n lloeaidd braidd. 'Ond ti byth yn colli nabod arno fe.'

'Ti wedi dachre barddoni, *Pater*?' chwerthodd Llion. 'Siarad mewn rhigyme.'

'Galw fi'n 'Dad',' meddwn i.

'Mewn fyn 'yn? Ti'n gall?' wfftiodd Llion. 'Wa'th i fi ofyn iddyn nhw roi sgalpad i fi ddim.' Claddodd ei lwy yn y blymonj a elwir yn bwdin gan y rhei sy'n ein gwarchod ni. 'Ti wedi clywed 'tho'r Difa byth?'

'Dim gair, heblaw beth ma Awel yn gweud.'

'Ie,' medde Llion a golwg bell ar ei wyneb.

'Gymrith amser,' meddwn i.

'Gymrith fwy nag amser,' medde Llion.

'Beth nath hi i dy bechu di erio'd, Llion?' holes i fe. 'Mewn difri nawr. *Fi* nath gam â ti, ac â hithe. Do'n i ddim 'na yn 'y mhen. *Fi* esgeulusodd ti, ddim dy fam.'

'Ie,' medde Llion a fe weles i 'i fod e'n deall hyd a lled popeth, yn gweld y cwbwl yn glir.

Edryches arno'n gorffen y blymonj fel pe bai ei fywyd yn dibynnu ar sugno'r defnyn ola o'r stwnsh lympiog pinc oddi ar y ddysgl.

'Pan ei di mas…' dechreues i, heb wbod yn iawn beth ro'n i eisie'i weud. 'Treia'i cha'l hi i ddeall…'

'Deall beth?' holodd wedi i 'mrawddeg i sychu. 'Mai dim llwyfan steddfod yw bywyd? Fod y cwbwl sy'n bwysig yn digwydd tu ôl i'r stêj, yr ochor arall i'r cyrten?' Chwerthodd iddo'i hun.

'Ma hi'n gwbod 'ny'n barod,' meddwn wrtho. 'Paid â'i phw-pwian hi mor rwydd.'

'Sai'n pw-pwian, 'wy'n barddoni,' medde Llion. 'Gweud y gwir, fel ma barddonieth yn neud. Y gwir, heb 'i osod e i gerdd dant.'

'Dwi eisie iddi wbod bo fi wedi newid.'

Edrychodd Llion o'i gwmpas ar y dwsinau o garcharorion eraill yn bwyta'u pwdinau afiach fel pe bai'n bryd o fwyd seren Michelin.

'Cym on, *Pater,* bydd damed bach yn fwy gwreiddiol na 'na. Ma pawb mewn 'ma'n gweud 'na. 'Na beth yw brawddeg gynta'u llythyre nhw gatre. 'Na'r peth cynta ma'n nhw'n weud wrth y bobol sy'n dod i'w gweld nhw 'ma, a'r peth cynta ddaw o'u cege nhw yr eiliad gerddan nhw mas o'r lle 'ma. Hal lythyr ati. Bydde 'ny'n ddachre. Gwed wrthi mai hi yw haul dy fywyd di; y rheswm pam ti'n codi yn y bore; blodyn cynta'r gwanwyn; y llygedyn o obeth ar ben draw'r twll du. Hi yw'r allwedd sy'n tiwno tanne dy delyn di; y cwpaned o de sy'n dy ddihuno di i'r dydd; gwres y garthen am dy ysgwydde di; cynhesrwydd y sane am dy dra'd di. Ond paid *byth* â gweud wrthi bo ti wedi newid, do's dim ots pa mor wir yw e. Ma fe shwt gyment o *cliché*, fe gymrith hi taw'r gwrthwyneb sy'n wir, bo ti ddim wedi newid iot.'

'Ti'n cyhuddo *fi* o fod yn fardd!' ebyches i.

''Wy wedi ca'l practis,' medde Llion. ''Na beth sgwennes i at Rhian. A mwy. Ond sai erio'd wedi gweud wrthi bo fi wedi newid.'

Roeddwn i'n dysgu ganddo; yr oen yn dysgu'r ddafad i bori.

'Ti'n dod i ben yn iawn?' holodd Llion wrth osod ei lwy i lawr ar yr hambwrdd plastig. 'Neb yn rhoi hasl i ti?'

Fy nghwestiwn i iddo fe, fel tad, does bosib? Ysgwydais fy mhen. Ma cadw meddylie i fi'n hunan yn grefft dwi wedi'i hen feistroli.

''Na pam ddes i mewn 'ma,' medde Llion yn goc i gyd. 'I gadw llygad arnot ti. Esgus o'dd y gweddill i gyd.'

'Ca' dy geg, y jawl bach,' meddwn i wrtho ac fe wenodd e'n llydan.

'Ti moyn y fisgïen 'na?' holodd, gan ei bachu a'i sodro yn ei geg cyn i fi ga'l cyfle i'w ateb.

22

Ni fu'n rhaid i Llion gario neges i'w fam oddi wrtha i, a ddes i ddim rownd i sgwennu ati chwaith.

Y diwrnod wedyn, roedd hi'n eistedd wrth y bwrdd yn yr ystafell ymweld a finne'n treial 'y ngore i ddod dros y sioc o'i gweld hi wrth i fi gerdded tuag ati. Chododd hi 'mo'i phen pan eisteddes i. Gwylio pryfyn oedd hi, yn croesi o'r naill ochor i'r bwrdd i'r llall, fel malwoden yn croesi ca'.

'Dilys,' meddwn cyn sychu. 'Cywir', clywes lais Llion yn 'y mhen. 'Blwyddyn, a ti'n dal i gofio pwy yw dy wraig di.'

Allwn i ddim meddwl beth oedd wedi dod â hi yma nawr. Ar ôl yr holl amser, sy ddim yn amser o gwbwl. Rhyw broblem ca'l arian mas o'r banc? Oedd Awel wedi bod yn ei phen hi'n treial 'i pherswadio hi i symud mas er mwyn i Eirug ga'l symud mewn yn ei lle hi? Sawl gwrthodiad arall oedd ganddi i'w hwynebu?

'Glyn,' medde hi, gan ddal i edrych ar y pryfyn.

Pesyches i. I dreial ei cha'l hi i edrych arna i, falle, neu i greu rhyw fath o sŵn yn y bwlch mawr rhyngddon ni. 'Diolch am ddod.'

'Paid,' medde hi. Roedd y pryfyn dri chwarter ffordd i'r pen arall. Disgynnodd ei llaw'n galed ar ei ben. Teimles drueni wrth feddwl am y gobeth oedd wedi llenwi calon y creadur bach wrth weld y pen draw mor agos a heb syniad na châi byth ei gyrra'dd. O leia, fe gafodd e farw mewn gobeth, sy'n yffach o lot o beth pan feddyliwch chi amdano fe. Daliai Dilys i edrych ar ei farc ar y bwrdd, fel pe bai hi'n disgwyl am ei angladd.

'Beth sy'n dod â ti 'ma?' holes i. Unrhyw gwestiwn i lanw'r twll mawr du.

'Hanner 'y nheulu,' atebodd hithe'n dawel, heb fod yn oeredd, ond heb gynhesrwydd yn ei llais chwaith. Fe led droies i i edrych a oedd unrhyw arwydd fod Llion am gael ei adael i mewn drwy'r drws aton ni. 'Wela i Llion wedyn,' medde Dilys, gan ddarllen fy meddwl. 'Ti gynta.'

'O'dd Awel yn gweud…' dechreues inne, heb syniad yn y byd beth oedd diwedd y frawddeg. Bachu mewn edefyn, unrhyw edefyn oedd 'da ni'n dau'n gyffredin, nawr bod Llion mas o gylch ei byd hi hefyd. 'Wedodd hi wrtha i am Eurig.' Yn y gobeth y cymhellai hynny hi i weud beth oedd ar ei meddwl hi. Symud…? Prynu lle iddi'i hun…?

Ac wedyn, fel bollt, trawodd y gwir fi. Gwyddwn pam roedd hi wedi dod. Ar ôl blwyddyn gyfan o gadw draw. Eisie ysgariad ma hi, meddwn i wrtha i'n hunan. Wedi dod i'r pwynt yn ei bywyd lle roedd angen iddi symud mla'n neu farw; gwthio ymaith y baich uffernol o'n i wedi'i osod ar ei gwar hi; cau'r drws ar y cyfan. Ond doedd hi ddim fel pe bai ganddi'r hyder na'r dewrder i weud.

Teimles y cyfog yn codi, a cheisio rheoli'r chwys ar 'y nhalcen. Allen i ddim gwrthod: pa gais ar ei rhan fyddai'n decach?

''Wy'n bwriadu symud. Alla i ddim cario mla'n i fod yn faich ar Awel,' medde Dilys a chodi ei phen rywfaint i siarad â 'ngwddw i, neu dop 'y nghrys-T i, pa un bynnag oedd e.

'Ma arian 'da ti,' meddwn i. ''Na di beth ti moyn 'dag e.'

'Ers pryd ma beth wy moyn yn dod mewn iddi?' Edrychodd arna i'n sgwâr a'i llais fel cyllell. Y tro cynta iddi edrych ar fy wyneb ers cyn yr achos. Gostynges inne 'mhen rhag i'n llyged ni gwrdd.

Teimlwn fel pe bawn i'n wynebu brwydr anodda 'mywyd, y frwydr i gadw 'myd yn gyfan. Yn rhyw lun o gyfan. Ac ar yr un pryd, gwyddwn nad oedd gen i hawl i fynnu dim ganddi. Beth oedd hi ei eisie *o'dd* flaena bellach, shwt arall alle hi fod?

'I ble symudi di?' holes yn dawel.

Cododd ei hysgwydde.

'Rhwle lle gelli di ailddachre,' meddwn. 'Ailgydio ynddi,' cynigies. Ac wedyn, mentro. 'Heulwen wedodd. Am y parti cerdd dant… ges i lythyr 'tho hi. Dy weld di ac Awel nath iddi sgwennu, dim byd arall. Trueni drostot ti; moyn gweud bod pethe lawer yn well rhyngddi hi a Dan. A falch bo finne'n well a mas o'r – o'r pethe 'na oedd wedi cwmwlu'n meddwl i. Falch bo fi wedi bennu 'da 'na.'

Chwydu popeth mas a gweld beth wnâi hi o'r darne stemllyd, drewllyd. Cymryd pethe o'r fan honno.

'Wedodd Awel.'

'Wel?' mentrais.

'Wel beth?'

'Y cerdd dant…'

'Stwffo ffacin cerdd dant,' tasgodd y Difa drwy ei dannedd a fe nath y rheg i fi godi 'mhen a syllu reit mewn i'w llyged hi. Roedd 'na ddagre yn y ddwy, ond ro'n nhw ar dân hefyd; dŵr a thân yn un, a rown ni mor falch o weld y tân yn lle'r lludded oedd wedi bod yn y ddwy – ers noson y gnoc ar y drws, am wn i.

'Treial neud rhwbeth, *rhwbeth*, o'dd 'ny! Meddwl gallen i fynd 'nôl. Ond dynnes i'r hysbyseb mas o'r *Dinesydd*, achos sai moyn dachre 'na 'to; ma'r drws 'na wedi'i gau i fi; *do's* dim cerdd dant, *do's* dim partïon, na grwpie llefaru, na steddfode, na charafáns, na thelyne, na beirnied. O, o's, ma digon o *feirnied*. Beth 'wy'n gweud? 'So'r beirnied byth yn diflannu. Ma'n nhw 'na, a'u tafode'n nhw'n sbarco tân yn 'y nghefen i, ffili stopo, a'i wisgo fe lan, gwisgo'r feirniadeth lan yn 'u geirie ffals nhw. Sdim ges 'da ti! *Ti* miwn fyn hyn. Ti'n ddigon pell oddi wrtho fe; ti'n cario mla'n 'da dy fywyd yn gwmws fel o'r bla'n; ti'n saff rhag y cwbwl. Byw yn dy ben fel 'nest ti erio'd.'

'Dwi wedi newid,' meddwn i'n wan a theimlo llach Llion ar y frawddeg yn syth. Ond doedd hi ddim yn gwrando arna i.

'Sai moyn 'u blydi cydymdeimlad nhw; sai moyn 'u sylw nhw; 'wy jyst moyn llonydd; cau'n 'unan lan. Swopen i le 'da ti er mwyn cadw mas o'u ffordd nhw a dachre o'r dachre. 'Wy moyn rhwbio mas yr holl flynydde; ca'l nhw i beido digwydd; rhwbio'r cwbwl lot mas!' Roedd ei llais hi'n cario, ond ddim hynny oedd yn flaena yn 'y meddwl i.

'Dwi ddim yn mynd i sefyll yn dy ffordd di,' meddwn wrthi. 'Pwy hawl s'da fi? Tala am gyfreithwr; rwystra i ddim arnot ti; gei di ysgariad fyl'na.' Clicies fy mysedd. 'Ar ôl beth 'nes i i ti, chei di ddim unrhyw drafferth.'

''Na beth ti moyn?'

Syllai arna i â'i hwyneb yn anferth a gwyn yn ei syndod. Welwn i ddim heibio'i hwyneb. Rhythes arni, ei chwestiwn wedi fy nelwi, a'i rhyfeddod yn fwy o sioc na'r cwestiwn ei hun. Wyneb menyw ar goll.

'Beth wyt *ti* moyn, Dilys? Do's dim posib troi'r cloc 'nôl. Ni'n styc 'da beth s'da ni. Wedyn, beth wyt *ti* moyn?'

Yn ei hoedi, yn yr wyneb ar goll arni, y ces i fy ateb.

'Ti'n gweud wrtha i brynu rhwle,' dechreuodd, gan faglu dros ei geirie braidd. 'Gweud wrtha *i* i brynu rhwle. I fi'n hunan. Ddim i *ni*. Des i 'ma i ofyn i ti lle gallen ni fyw. Lle gallen *ni* fyw…'

'Wyt ti'n siŵr?' ebyches, yn methu credu.

''Na pam ddes i,' medde Dilys. 'I ga'l dy farn di ambutu lle dylen i ddachre edrych. 'Na i gyd.'

'Ond yr holl amser…' dechreuais. 'Pam dod *nawr*?'

'Yn y fflat drws nesa i Awel, ma hen ddyn yn byw.'

Oedodd Dilys ac edrychodd ar ei dwylo'n gafael yn ochr y bwrdd, fel pe na bai'n siŵr a oedd hi am adrodd ei stori ai peidio.

'Ma fe'n ddeg a phedwar ugen os yw e'n ddwrnod o'd. Ddo' ddwetha, glywes i fe drwy'r walie'n gweiddi am help. Do'n i ddim wedi neud dim 'dag e erio'd, fwy na gweud helô wrtho fe wrth baso yn y cyntedd. O'dd Awel yn 'i gwaith. Es i ato fe, ac o'dd 'i ddrws e ar agor, diolch i'r mowredd.

'A 'na lle ro'dd e, wedi cwmpo ar 'i hyd wrth fynd i'r tŷ bach, a'i drwsus e am 'i benlinie fe, druan bach. Helpes i fe lan, ac o'dd e mor embarasd am bo fi wedi'i weld e yn 'i wendid a'i drwsus am 'i benlinie. Do'dd e ddim wedi ca'l dolur, a fynnodd e neud cwpaned o de i fi. O'dd e'n falch o ga'l siarad 'da rywun. Wrth iddo fe siarad, gallet ti weld 'i falchder e'n dod 'nôl, wrth iddo fe anghofio'i gywilydd achos bo fi wedi'i weld e â'i drwsus lawr.

'Siarad am 'i deulu o'dd e, cwlffeide mowr o storis, a'r strachs a'r rows a'r trafferthion i gyd. O'dd e wedi towlu'i wraig mas hanner canrif yn gynt ar ôl iddo fe'i dala hi yn y gwely 'da'r dyn glo.'

Chwerthin 'nes i, ond doedd dim gwên ar wyneb Dilys.

''Na i gyd siaradodd e amdano fwy neu lai drwy'r amser fues i 'na o'dd 'i wraig. Y plant 'fyd, ond o'dd popeth fel 'se fe'n arwen 'nôl at 'i wraig. Hi o'dd pen draw pob stori. '*I wish*

I could have seen the whole picture when I threw her out,' medde fe. *'I wish I could see her now."*

Oedodd Dilys.

'Os na symudwn ni mla'n 'da'n gilydd, shwt arall newn ni?' gofynnodd.

Ceisiais afel yn ei llaw, ond fe aeth hi'n reit embarasd ohona i o fla'n teuluoedd y carcharorion erill, fel pe bai ots beth o'n nhw'n feddwl. Roedden nhw'n rhy llawn o nhw'u hunen i sylwi, ta beth. Ar ôl gweud beth oedd hi am ei weud, roedd hi wedi troi i edrych oddi wrtha i eto, fel pe bai hi'n difaru agor ei chalon wrtha i.

A ma meddwl am edrych mla'n yn lle edrych am 'nôl drwy'r amser yn beth newydd i finne. Fel presant. Fel allwedd. Fel ennill y lotyri.

'Ma digon o amser i whilo rhywle,' meddwn i. 'Meddylia drosto fe am gwpwl o flynydde.'

''Wy angen 'ny,' medde Dilys. 'Ma lot o bethe 'da fi i fennu gwitho 'mhen drwyddyn nhw gynta.'

'O's,' medde fi wrthi. 'Ond o leia, fe ddest ti 'ma.'

'Gaf i fflat yng Ngha'rdydd i Awel ga'l 'i rhyddid. Wedyn, fe gewn ni weld.'

Sir Benfro, ystyries. Na. Gormod o Waldo. Eryri? Gormod o feirdd erill. Cadw'n glir o sir Aberteifi. Cadw'n glir o Ga'rdydd. Pen Llŷn? Ddaw hi byth i allu cyfieithu i gog. Gwent? Rhy ddiyrth. Wyddgrug, Wrecsam, Fflint? Rhy bell oddi wrth Awel a Llion. Ynys Enlli? Hm. Posib.

'Ti 'di gwerthu'r garafán?' gofynnes iddi.

'Do. Gas 'da fi garafáns,' atebodd hithe.

'Tr'eni,' meddwn wrthi. 'Fydde hi wedi gallu bod yn handi.'

Hefyd gan Lleucu Roberts: